꽃을 보다 직장인

꽃을 보다 직장인

발 행 | 2024년 4월 1일
저 자 | 조영설
펴낸이 | 한건희
펴낸곳 | 주식회사 부크크
출판사등록 | 2014.07.15.(제2014-16호)
주 소 | 서울특별시 금천구 가산디지털1로 119 SK트윈타워 A동 305호
전 화 | 1670-8316
이메일 | info@bookk.co.kr

ISBN | 979-11-410-7909-3

www.bookk.co.kr

꽃을 보다 직장인

조영설 지음

여는 글

나는 생태학을 전공한 시스템엔지니어이다.

컴퓨터와 전혀 상관이 없는 학문을 공부한 후 시스템을 설계, 관리하는 업무를 하며 살아가는 이방인 같은 직장인이다.

학부생 시절 2년 동안 야생화를 조사하기 위해 거의 매주 점봉산을 방문했다. 점봉산은 우리나라 최후의 원시림이라고 불리는 곳이다. 내가 좋아하고 잘하는 일이었기에 나는 계속 생태학의 길을 걸으리라 생각했었다.

하지만 졸업 후 운이 좋게 모두가 알만한 IT 대기업에 입사하게 되었고 전공과는 전혀 다른 시스템엔지니어의 길을 시작하게 되었다. 그렇게 직장생활을 시작한 지 벌써 15년이 넘게 흘렀고 어느새 부장으로 진급할 수 있는 시기에 다다랐다.

직장 생활 동안 나는 꽤 다양한 역할을 경험했다. 수많은 시스템구축 프로젝트에 참여했으며, 해외 출장을 다녀오기도 했다. 그룹사 지도 선배에 발탁되어 이제 갓 입사한 후배들을 관리하기도 했고, 시스템 업무에서 잠시 벗어나 인사/기획 업무를 수행하기도 했다. 이런 다양한 경험들은 다양한 사람들을 만날 수 있는 기회를 제공해 주었다.

생태학 전공자의 눈에 비친 직장인의 모습은 색달랐다.

그들은 만났던 꽃들과 닮아 있었다. 어떤 이는 족두리풀과 비슷했고, 어떤 이는 바람꽃 같았다. 또 어떤 이는 겨우살이를 생각나고 했고 어떤 이는 한계령풀을 닮아 있었다. 해외 출장에서 만났던 한인 2세 업무 파트너를 보면 민들레가 떠오르기도 했다.

야생화가 살아가는 방식은 엇비슷해 보인다. 하지만 조금만 자세히 들여다보면 같은 점이 거의 없을 정도로 개성이 넘친다.

직장인들 역시 마찬가지였다. 월급을 받고 회사 생활을 하며 비슷하게 살아가는 듯 보이지만 살아가는 방식과 삶을 대하는 태도는 모두 달랐다.

이 이야기는 대학 시절 조사를 위해 방문했던 점봉산의 야생화에 관한 이야기이며, 동시에 입사 후 만난 다양한 사람들에 관한 이야기이다.

CONTENT

참꽃마리

- 작고 흔하지만 강한 꽃 -

점봉산의 야생화들은 다양하고 다채롭다.

하늘말라니나 동자꽃처럼 당당하고 화려하게 고개를 들어 하늘을 향해 피는 꽃이 있는가 하면, 부끄러운 듯 잎사귀 아래 꼭꼭 숨어서 피거나, 꽃인지 잎인지 구분이 안 되는 모습의 꽃도 있었다. 이렇게 다양하고 많은 꽃들을 조사하며 이름을 되새기고 기록하다 보면 조금은 더 마음이 가는 꽃이 생기기 마련이었다.

참꽃마리꽃은 매우 작다.
한참을 봐야 예쁜 꽃임을 알 수 있다.

나는 제비꽃과 은대난, 은방울꽃을 좋아했다.

제비꽃은 보라색 가득한 색깔이 좋았고 은대난과 은방울꽃은 단아하면서 순수해 보이는 꽃의 모습이 마음에 들었다.

나와 함께 조사하던 한 팀원은 참꽃마리를 유난히 좋아했다. 조사를 하다가 참꽃마리만 만나면 지나치지 않고 한참을 들여다보았다. 사람마다 취향이 다르겠지만 내가 보기에 참꽃마리는 작고 화려하지도 않은 흔한 꽃으로 보였다. 나는 그런 동료가 신기해서 많고 많은 꽃 중에서 하필 참꽃마리를 좋아하느냐고 물어본 적이 있었다. 팀원은 가까이에서 보면 알 수 있다고 했다. 조금만 자세히 보면 정말 예쁜 꽃이라며 나를 불러 참꽃마리를 가까이에서 보게 하곤 했다.

참꽃마리 꽃은 매우 작다.

보통 꽃의 크기가 7~10mm 정도라고 한다. 하지만 내가 만난 참꽃마리의 꽃은 지름이 7mm도 되지 않을 정도로 작은 꽃들이 대부분이었다. 점봉산에서 만난 많

참꽃마리는 흔한 풀이기도 하다.

은 꽃 중에서 사초나 벼과 식물의 꽃을 빼고는 개별초와 더불어 크기가 손가락 안에 들 정도로 작았다.

꽃이 매우 작아서 접사 모드로 촬영할 때도 초점을 한참 맞추어야 했다. 하지만 그 팀원의 이야기처럼 카메라에 찍힌 모습을 확대해서 보면 참 예쁘게 생긴 꽃임을 알 수 있다.

참꽃마리는 흔한 풀이기도 하다.

조사 기간 내내 점봉산의 등산로 주변에서 흔하게 볼 수 있었다.

또 전국의 산과 들에서 쉽게 볼 수 있는 꽃이다. 꽃이 피는 기간도 봄부터 7월까지 긴 편이어서 눈에 잘 뜨인다. 흔한 꽃이기에 쓰임새도 많고 참꽃마리와 관련된 자료도 많다. 개체가 많고 눈에 잘 뜨인다는 것은 주변 환경에 적응을 잘한 강한 꽃이라는 것을 의미한다. 우리나라의 기후와 땅에 잘 적응했다는 것이고 외부 스트레스도 잘 견디어 많은 유전자를 남겼다는 뜻이기도 하다.

2년 차 후배 J 사원은 참꽃마리 꽃을 닮았다.

J 사원의 첫인상은 '작다'였다.

처음 신입사원으로 우리 부서에 투입되어 부서원들에 인사했을 때 나는 그녀의 작은 키와, 조그만 목소리, 여리해 보이는 모습이 기억난다. 이 험한 사회생활을 잘할 수 있을까? 하는 걱정이 될 정도로 그녀는 약해 보였다.

신입사원 OJT가 끝나고 각 시스템으로 업무 배정이 된 후 그 걱정은 더 커졌다. 많고 많던 시스템 중에 하필 가장 힘들다는 시스템에 담당자로 배정이 된 것이다. 그 시스템의 업무 리더는 무시무시하기로 유명했다. 불같은 성격으로 하루에 몇 번씩은 후배들을 강하게 질책하는 사람이었다. 입도 험해서 우리 동기들 사이에서는 소시오패스가 맞다는 말을 할 정도였다. 심지어 고객과도 쌍욕을 하면서 싸우는 사람이었다.

그 시스템의 고객들 역시 진상으로 유명했다. 시스템의 업무 환경이 얼마나 나빴었는지 그 시스템에 배정되었던 몇 명의 사원들도 견디지 못하고 업무를 바꾸거나

심지어 회사를 그만두기까지도 한 전력이 있었다. 많은 사람들이 조만간 J 사원이 무너져 다른 업무로 바꿔 달라고 하거나 회사를 그만두겠다는 면담을 할 것이라고 생각했다.

하지만 J 사원은 예상외로 잘 버티었다.

욕설이 난무하던 업무 현장에서도 그녀는 흐트러짐이 없었다. 무시무시한 선배에게 갈굼을 당해도 생각 외로 J 사원은 평온했다. 웬만한 사람들이면 멘탈이 수십 번 무너져 당장 그만두었을 상황에서도 그녀는 표정 변화도 없이 꿋꿋하게 일을 했다. 평정심을 유지했다.

일 년, 이 년, 삼 년이 지나도 J 사원은 처음 모습처럼 업무를 수행했다. 가끔 힘들지 않냐고 물어보면 항상

"괜찮아요. 뭐 그냥 그렇죠." 라며 대수롭지 않게 대답하곤 했다.

J 사원은 여유롭고 긍정적인 사람이었다.

"그러든지 말든지유, 화내면 내가 힘드나? 지가 힘들지~~"

넉살 좋은 충청도 아저씨의 여유로움으로 비유할 수 있을까?

심지어 몇 년이 지난 후에는 그 무시무시한 업무 리더가 J 사원에게 사과하는 모습도 심심찮게 볼 수 있었다.

J 사원에게 스트레스는 대수롭지 않아 보였다.

나도 나름 스트레스를 덜 받는 꽤 긍정적인 멘탈의 소유자라고 자부했으나 J 사원 앞에서는 어린아이에 불과했다. 그녀의 멘탈은 누구보다도 강하고 긍정적이었다. 힘이 세다는 의미의 강함이 아니라 주변 환경에서 주는 스트레스를 덜 받는 강함이었다. 상대방은 상처를 주겠다고 덤비는데 상처 자체를 받지 않고 그냥 튕겨버리는 고무공 같았다. 수없이 스트레스를 받아야 하는 상황에서도 그냥 스트레스 자체를 받아들이지 않는 사람이었던 것이다.

회사 생활을 하다 보면 가끔 겉모습은 약해 보이지만 내면은 누구보다도 강한 J 사원 같은 사람을 한 번씩 만나고 한다. 이런 사람들의 많은 공통점 중 하나가 감정의 폭이 크지 않다는 것이었다. 주변의 변화나 스트레스에 크게 반응하지 않고 별거 아니라고 생각하는 경향이 있었다. 그렇기에 가벼운 마음으로 자신이 맡은 일을 더 잘해 나가는 것처럼 보였다.

오히려 누구보다도 강해 보이던 사람들이 마음이 여리고, 남들이 나를 어떻게 생각할까 두려운 마음에 더 화를 내고 주변 사람들에게 못되게 구는 경우도 있었다. 행복해 보이고 배려심도 많아 보였는데 정작 본인 속은 다 썩어 문드러져 있던 경우도 많이 보았다.

J 사원은 10년 가까이 그 업무를 했다. J 책임이 되었으며 사이코패스 같던 업무 리더가 빠진 시스템의 새로운 업무 리더로서 훌륭하게 시스템을 운영했다. 지금은 다른 부서에서 다른 일을 하고 있으며 두 아이의 엄마가 되어 워킹맘으로 회사 생활도 잘해 나가고 있다.

참꽃마리처럼 J 사원도 작고 여려 보였지만 실제로는 누구보다도 강했다. 험난한 생태계에서 작은 꽃으로도 살아남은 것처럼 J 사원 역시 험난한 곳에서 살아남았다.

참꽃마리의 꽃말이 '행복의 열쇠'라고 한다.

회사 생활에서 행복의 열쇠 중 하나는 J 사원이 가지고 있던 여유롭고 평안한 마음이 아닐까 싶다. 주변 환경이 어떠하든 자신을 지킬 수 있는 무기 중의 하나이다.

참꽃마리는 작은 꽃이다.

작지만 예쁜 꽃이고 강한 꽃이다.

참꽃마리는
작지만 예쁜 꽃이고 강한 꽃이다.

알렐로파시

- 거리 두기의 힘 -

알렐로파시(allelopathy) :. 타감작용(他感作用)

오스트리아 출신의 식물학자 한스 몰리슈(Hans Molisch)에 의해 처음 사용된 식물 용어로 식물이 성장하면서 일정한 화학물질이 분비되어 경쟁되는 주변의 식물의 성장이나 발아를 억제하는 작용을 말한다.

타감물질은 초식 동물로부터 식물이 자신을 방어하는 중요한 부분이 되기도 하며 다른 생물체에 어떤 영향을 끼치기 위하여 배출하는 화학 물질로 에틸렌, 피톤치드(Phytoncide)등이 있다. 허브 식물의 독특한 향기도 타감물질에 해당하며 마늘에 포함된 알리신(Allicin), 고추의 매운 성분을 만드는 캡사이신(Capsaicin) 등도 모두 대표적인 타감물질에 해당한다.

(두산백과 두피디아, 두산백과)

'알렐로파시'

내가 좋아하는 생태학 용어 중의 하나이다. 말할 때 입에 착 달라붙는 느낌이 참 좋다. 어려운 용어 같지만 쉽게 풀어보면

"우리 식구 빼고 내 구역에서 다 나가!!"

라며 화학물질을 뿜는 것이다.

어원은 그리스어로 "상호(알렐로) 해로운(파시)"라고 한다. 단어만 보면 해로운 말 같지만 알렐로파시로 분비되는 타감물질의 대표주자가 피톤치드이다. 사람들을 숲으로 오게 하는 이로운 역할을 하기도 한다.

점봉산 등산로 입구에서 2km 정도를 걷다 보면 시원하게 하늘로 뻗은 전나무 숲을 만날 수 있다. 기분이 좋아질 만큼 푸르고 시원한 전나무 군락지이다. 이 구간에서는 꽃이 거의 없었다.

꽃을 관찰하기 위해 땅만 보느라 뻐근했던 고개를 잠시나마 쉴 수 있는 매우 고마운 구간이었다. 나는 조사를 잠시 멈추고 스트레칭을 하거나 상쾌한 기분으로 심호흡을 하며 천천히 걸어 지나가곤 했다. 나무들이 일정하게 심어 있는 것으로 봐선 조림을 한 듯 보였다.

특이한 건 이 구간이 다른 곳과는 다르게 숲의 바닥이 매우 황량하다는 것이다. 꽃뿐만이 아니라 다른 식물들도 거의 보이지 않았다. 전나무에서 떨어진 열매와 잎만 쌓여 있을 뿐이었다. 당시 조사를 하던 우리 팀원의 표현을 빌리자면 꽃이 모두 숨어버린 것이다.

전나무 숲 바닥에는 이상하리만큼 꽃들이 보이지 않았다.

알렐로파시! 바로 타감작용 때문이다. 전나무에서 나

전나무 숲.

바닥에는 이상하리만큼 꽃들이 보이지 않았다.

오는 타감물질이 꽃들을 모두 내쫓은 것이다. 전나무 숲 바닥에는 꽃들이 자라지 못했다. 간간이 보이던 꽃들도 없었다. 생명력이 강한 민들레나 엉겅퀴조차 전나무 숲 바닥에선 꽃 피지 못했다. 꽃들에게 전나무 숲은 화학물질이 가득한 생화학 지대일 뿐 살만한 땅이 아니었다.

회사 생활에서도 알렐로파시가 있다. 가까이서 일하게 되면 서로에게 상처를 주기에 한걸음 물러서야 하는 관계가 존재한다.

과장으로 진급할 때쯤 기술 업무에서 기획 업무로 업무를 바꾼 적이 있었다. 부서의 인사, 기획, 총무, 재무와 같은 경영을 지원하는 업무를 담당했고 부서장 곁에서 부서장의 수명 업무를 수행하는 역할을 주로 했다. 당시 우리 부서장은 완벽을 추구하는 업무 스타일을 가진 분으로 부서원들을 혹독하게 대하기로 유명했다. 본인의 기준에 맞지 않으면 서류 던지기, 험한 말로 부서

점봉산 숲의 일반적인 모습.
나무 아래 다양한 식물들이 자라고 있다.

원 면박 주기 등의 행동들도 서슴지 않았던 분이다.

이해와 타협보다는 부서원들을 윽박지르고 혼내는 방법으로 부서를 이끌어 나갔다.

그런 분을 바로 옆에서 모셔야 하는 역할이었으니 많이 힘들었었다. 거의 매일 혼이 나고 질책을 당했다. 회사 생활 중에 가장 많이 힘들었던 시기였다.

그중 다른 부서나 담당자의 의견을 취합하여 정리, 보고하는 업무는 나를 가장 힘들게 했다. 부서장은 보고서의 내용에 대해서 집요하게 물어보고 또 물어봤다. 그러다 보면 결국 모르는 것이 나오기 마련인데, 너는 왜 그걸 모르냐며 나를 호되게 질책하곤 했다

부서장은

"네가 나에게 보고했으니 네가 세상 그 누구보다도 내용을 잘 알아야 한다".

"너는 항상 디테일이 부족하다"

며 나를 혼내고 질책했다.

억울했다. 이해할 수가 없었다. 담당자도 아닌데 그런 디테일을 내가 어찌 알겠는가. 궁금하시면 직접 물어보

시면 되지. 왜 또 굳이 항상 나를 통해서 들으시려는지 알 수가 없었다.

가끔 회식 자리에서 나를 강하게 키우기 위해 혼내는 것이라고 이야기하셨는데 나에게는 그저 자신의 행동을 정당화하려는 변명으로밖에 들리지 않았다.

하늘을 찌르던 나의 자존감은 하루하루가 다르게 사라져 갔다. 오히려 극심한 불안과 공포로 바뀌어서 부서장의 헛기침 소리에도 깜짝깜짝 놀랐다. 보고를 해야 하는 날이면 잠도 못 자고 출근길에는 사고가 나서 다리라도 부러져 한 달만 입원해 있으면 좋겠다고 생각할 정도였다.

이렇게 살다가는 제명에 못 죽겠다 싶어서 어떤 업무든 좋으니 업무를 바꿔 달라고 중간 리더에게 애원했고 업무에서 빠져나올 수 있었다.

나와 부서장은 알렐로파시였다.

상호 해로웠다.

부서장의 강한 업무 스타일은 내가 클 수 없는 땅이

었고, 말랑말랑한 나의 업무 스타일은 그가 없애버려야 하는 존재였다. 부서장은 나를 혹독하게 훈련시키다 보면 언젠가는 이겨내리라 생각했겠지만, 그것이 나에게는 나를 점점 죽어가게 하는 타감 물질이었던 것이다.

서로 추구하는 가치가 달랐다.

우리는 멀리서 바라보아야 하는 사이였다.

회사 생활을 하다 보면 마음이 딱 맞는 리더를 만나는 경우는 흔하지 않다. 대부분 맞춰가면서 업무를 하기도 하지만 가끔 견딜 수 있는 범위를 벗어나는 사람을 만나기도 한다. 그럴 때는 과감히 빠져나오는 것도 좋은 방법이다. 굳이 나와 맞지 않는 사람에게 맞추려 노력하고 애써 견딜 필요는 없다.

당장 내가 힘들어 죽겠는데 굳이 맞서려 하는가.

힘들면 피하면 된다. 맞서면 결국 나만 상처를 받는다.

꽃들이 전나무 숲에 들어가지 않는 것처럼 한걸음 물러서서 다른 곳에 자리를 잡으면 된다. 적당한 거리가

점봉산 숲의 가을.
많은 식물이 서로 영향을 주고받으며 살아간다.

오히려 좋은 관계를 유지할 수 있는 경우도 많은 것이다. 이 간단한 진리를 나는 죽을 만큼 힘겨웠던 2년의 시간을 버티고서야 깨달을 수 있었다.

몇 년 전 나와 맞지 않던 부서장은 회사를 떠났지만, 그 부서장 아래에서 몇 년을 견뎠던 중간 리더분은 회사에서 꽤 잘 나간다. 혹독한 트레이닝 덕분이었는지 보고서 작성 능력부터 커뮤니케이션 스킬, 협업 기술 등 회사에서 갖추어야 할 업무 능력이 매우 뛰어나다고 인정받는다. 얼마 전에는 승진까지 하셔서 전 부서장의 자리보다 더 높은 역할도 맡으셨다.

만약 내가 그 자리에서 계속 견디고 참았으면 어떻게 되었을까? 나도 인정받으며 승진하고 잘 나갔을까? 아니었을 것이다. 나는 극한 상황에 못 버텨 벌써 회사를 그만두었을 것이다.

전나무 숲의 꽃들처럼 피지도 못하고 죽었을 것이다.

누구에게나 맞는 자리가 있고, 맞는 역할이 있다.

그 자리는 내 자리가 아니었다.

나는 한 발자국 물러서서 바라보는 전나무 숲이 더 좋다.

나는 한 발자국 물러서서 바라보는 숲이 더 좋다.

겨우살이

\- 기생하지만 재밌는 식물 -

겨우살이는 기생 식물이다.

다른 나무의 가지 위에 뿌리를 내리고 살아간다. 겨울에도 푸르름을 유지하기 때문에 한겨울에서 이른 봄까지 나뭇잎이 없는 계절에 눈에 잘 뜨인다. 산길을 걷다가 앙상한 나뭇가지를 보면 다른 곳과는 확연히 다르게 가지가 촘촘하고 푸른 부분이 있다. 멀리서 보면 새집처럼 보이기도 하는데 바로 겨우살이이다.

겨우살이라는 이름이 겨울을 산다고 해서 생긴 이름

겨우살이.

나뭇가지 사이에 촘촘한 부분이 겨우살이이다.

일 텐데 겨울에 유독 눈에 잘 띄어서 지어진 이름인 것 같다. 하지만 경험상 겨우살이는 겨울뿐만 아니라 거의 사계절 동안 푸르렀다.

2005년 이른 봄 야생화 조사 장소 선정을 위해 점봉산에 갔을 때 나는 겨우살이와 처음 만났다. 낯선 모습에 교수님께 이런 깊은 산골에도 까치집이 왜 이렇게 많냐고 물어봤던 기억이 난다.

겨우살이는 재미있는 식물이다. 이야깃거리가 참 많다. 기생식물이기에 다른 나무 위에 뿌리내리고 사는 것도 특이한데, 그 와중에 염치는 있어서 양분의 일부는 자기가 직접 생산한다. 차디찬 바람을 온몸으로 맞아가며 한겨울을 견디고 꽃과 열매를 피워내는 강인한 식물이기도 하다.

그중에 가장 재미있는 것은 바로 겨우살이 열매가 씨앗을 퍼뜨리는 방법이다.

겨우살이 열매는 매우 끈적거린다. 새들이 겨우살이 열매를 먹고 나서 똥으로 씨앗을 배출할 때, 이 끈적거리는 성분이 제 역할을 한다. 끈적거리는 성분 때문에 씨앗이 똥과 함께 새의 항문 주변에 붙어 버리는 것이다. 똥이 엉겨 붙어 엉덩이가 가려운 새들은 똥을 떼어 내기 위해 나뭇가지 위에 엉덩이를 비비게 된다. 이때 떨어져 나온 씨앗은 나뭇가지에 붙어서 새로운 삶을 시작한다.

그리고 겨우살이는 부모가 한 것처럼 자신의 유전자를 퍼뜨리기 위해 꽃을 피우고 끈적거리는 열매를 맺고 새들을 유혹한다.

점봉산에서 식물을 조사할 때 많이 공부했던 것 중 하나가 식물들의 번식 전략과 씨앗의 확산 전략이었다. 어떻게 수정하는지, 수정된 씨앗은 어떻게 퍼뜨리는지, 그 방법은 식물들의 생활사에 어떤 영향을 끼치는지 등을 많이 공부하였다. 조사하는 동안 만났던 수많았던 식물 중에선 나에겐 겨우살이가 가장 재미있고 창의적인 전략가였다.

새의 엉덩이에 붙어서 날아다닌다니! 나뭇가지 위에서 새의 입으로, 입에서 엉덩이로 그리고 다시 나뭇가지로. 누가 이런 여정을 거쳐 나뭇가지 위에서 살게 되었다고 상상을 할 수 있었을까? 진심으로 독특하고 창

겨우살이의 열매.
매우 끈적거린다.

의적인 전략을 가진 식물이다.

20대 후반 입사를 하고 처음 부서에 발령받았을 때 옆 옆자리쯤에 부장님이 한 분 계셨다. 나보다 20년 정도 더 일찍 회사에 들어온 선배였다. 당시에 내가 본 부장님의 모습은 회사가 바라는 모습은 아니었다. 열정은 사라져 보였고 아주 오래전 빛바랜 사진을 보고 있는 느낌이었다. 당최 일은 하시는 건지 모르겠고, 그저 하루하루 의미 없이 시간을 때우다 퇴근하시곤 했다.

신입이었던 우리 동기들이 업무적인 도움을 요청해도 답해주지도 않았다. 동기들 중 일부는 그를 청국장이라고도 불렀다. 요청을 드리면 오랫동안 묵히신다고. 부서에서 희망퇴직이 명단이 돈다고 하면 거의 항상 1순위로 뽑히시던 분이셨다

기생하는구나. 기생이란 단어가 주는 부정적인 이미지 때문이었을까? 난 그 부장님을 보며 겨우살이를 생각했다. 회사가 만든 시스템에 기생해서 회사의 양분을

먹으며 하루하루를 살아가고 계시는구나. 회사에서 주는 월급과 복지에 기생하고 있구나.

내가 잘난 줄 알았을 때, 오만으로 가득 찼을 때 나는 그 부장님을 깔보고 무시했다.

나보다 20년 정도 일찍 입사했던 그 부장님은 10년 가까이 더 일하시고 몇 년 전에 정년퇴직을 하셨다. 10년 동안 무슨 일을 하셨는지는 아직도 잘 모르겠다. 대기업에서 정년퇴직이 흔하지 않은 일이었기에 부서에서도 꽤 성대하게 퇴임식을 해 드렸고, 퇴임하시던 순간까지도 회사에서 융숭한 대접을 받고 나가셨다. 끝까지 회사의 양분을 빨아 드시고 가셨구나.

나는 그때도 겨우살이가 다시 떠올랐었다.

나도 이제 회사 생활을 15년 넘게 했고 어느 정도 연차가 쌓여서일까? 항상 젊고 열정으로 가득 차 있을 것 같았던 동기들도 하나둘 회사를 떠나고 나이가 들어가는 모습을 봐서일까? 요즘 들어 문득 그 부장님 생각이 나곤 한다,

그 부장님은 겨우살이가 맞다. 그런데 이제 나는 다

나무 아래에서 본 점봉산의 겨우살이.

른 의미로 부장님과 겨우살이를 생각한다. 기생식물 겨우살이가 아닌 추운 겨울을 견딘 강인한 겨우살이이다. 하루하루 회사 생활을 할수록 그 부장님이 진심 대단하셨다는 생각이 든다.

희망퇴직을 가장한 회사의 퇴직 강요, 후배들의 무시, 업무 시간의 무료함, 그 긴 시간을 버티신 것이다. 겨우살이가 강인한 생명력으로 겨울을 나고 그들만의 방식으로 씨앗을 퍼뜨려 지금까지 살아남은 것처럼 부장님도 30년이 넘는 긴 시간을 회사에서 살아남았다. 회사에 몸을 담고 있었던 긴 시간 동안 수많았던 고난에도 굴하지 않고 정년까지 버틴 것이다.

그는 그의 가정을 지켜냈고 성공한 삶을 이루었다.

다른 사람이 보기에는 쓸모없어 보이는 삶일 수도 있었겠지만, 그만의 치열한 방식과 강한 생명력으로 견뎌낸 것이다. 못생긴 나무이기에 숲을 지켰고 끝까지 살아남았기에 강했던 것이다.

재미있는 건 최근 들어서 겨우살이가 상업적인 가치가 생기고 있다는 사실이다. 언제부터인지 이런저런 병에 좋다는 소문이 나서 많은 사람들이 찾는다고 한다. 검색포탈에 '겨우살이'를 쳐보면 효능이나 가격 같은 연관 검색어가 제일 먼저 나온다.

과학적으로 입증이 된 것인지는 잘 모르겠다. 다만 쓸모없는 기생 식물인 줄 알았던, 그저 겨울을 견뎌내는 식물이라고 생각했던, 겨우살이를 사람들이 비싸게 찾는다는 것이 신기할 따름이다.

수많은 겨울을 이겨내고 자신의 유전자를 이어나가고 있는 겨우살이들에게, 그리고 회사라는 치열한 생태계 안에서 꿋꿋하게 몇십 년을 버텨내고, 가족의 한 구성원으로 최선을 다해 살고 있는 수많은 부장님들에게 존경의 마음을 표한다.

겨우살이는 기생식물이다.

얼레지

- 천상의 화원에 가득한 꽃 -

점봉산 일대에 펼쳐진 원시림에는 전나무가 울창하고, 모데미풀, 얼레지, 바람꽃, 한계령풀 등 갖가지 다양한 식물을 비롯하여 참나물·곰취·곤드레·고비·참취 등 다양한 산나물이 자생한다. 일명 천상의 화원으로 불리기도 한다. 특히 한반도 자생식물의 남북방 서식지 한계선이 맞닿는 곳으로써 한반도 자생종의 20%에 해당하는 8백54종의 식물 이 자라고 있어 유네스코에서 생물권 보존구역으로 지정하기도 하였

다. 점봉산 (두산백과 두피디아, 두산백과)

점봉산 일대에서 조사를 하며 지냈던 몇 년 동안 참 행복했다.

물소리 가득하던 계곡 옆 컨테이너 숙소의 석유곤로 냄새, 휘영청 뜬 달 아래에서 팀원들과 즐겼던 달달한 돌배주, 한여름 차디찬 계곡에서의 물놀이, 허리까지 쌓여 있던 눈을 헤치며 올라갔다가 비닐봉지로 미끄럼을 타고 내려오던 조사 사이트.

서해 바닷가 근처의 작은 마을에서 태어나고 자랐던 나에게 점봉산처럼 크고 깊은 산에서의 조사 활동은 그 자체만으로도 새롭고 즐거웠다.

그중에서 가장 아름다웠던 기억이 무엇이냐고 물어본다면 나는 봄의 얼레지 밭을 이야기하고 싶다.

한 번은 조사를 하다가 나 혼자만 뒤처진 적이 있었다. 아직 나뭇잎이 나기 전 야생화가 한창인 시기였다. 꽃들을 꼼꼼하게 관찰하기 위해 땅만 보며 가다가 벌어진 일이었다. 팀원들은 이미 멀리 앞서갔고 나는 피어

얼레지 군락.
작은 사진으로는 표현이 안 될 만큼 아름답다.
기회가 된다면 직접 보길 권한다.

있는 꽃을 보며 부지런히 걷고 있었다.

어느 순간, 구름이 걷혔는지 갑자기 시야가 환해졌다. 고개를 들어 보니 나뭇가지 사이로 햇살이 따사롭게 들어오고 있었다. 나는 숨을 고르며 잠시 멈춰 주변을 보았다. 초점이 맞춰지듯이 풍경이 눈에 들어오기 시작했다. 넓은 꽃밭이었다. 숲에는 얼레지가 가득했다. 온 가득 보랏빛 꽃이 피어 있었고 그사이에 현호색과 제비꽃이 조화롭게 자리 잡고 있었다. 아름다웠다. 나는 잠시 넋을 잃고 서서 그 풍경을 보았다.

나는 좀 더 풍경과 분위기를 느끼고 싶었다. 꽃을 밟지 않으며 조심히 얼레지밭에 누었다. 꽃은 햇살에 빛나고 있었고 바람에 살랑거렸다. 가벼워진 내 날숨과 들숨 사이로 바람 소리만 들렸다.

아무도 없었고, 아무런 소리도 들리지 않았다. 이곳에 오로지 나와 꽃만 존재하는 것처럼 느껴졌다. 오로지 나와 꽃뿐이었다. 불과 몇 분이었지만 몇 시간을 그곳에 있었던 것 같았다.

얼레지밭에 고요히 누워서 혼자 보낸 짧은 시간은 점

봉산에서 내가 겪은 가장 아름다운 경험 중 하나이다.

점봉산은 '천상의 화원'이라고 불린다. 야생화가 많이 피어서 생긴 별명인데 특히 봄에 피는 얼레지꽃들은 점봉산이 왜 '천상의 화원'이란 별명을 가질 수 있는 자격이 있는지 잘 보여준다.

점봉산의 봄은 보랏빛 얼레지로 가득하다.

얼레지는 백합과의 여러해살이풀이다. 점봉산에서는 4월 중순쯤부터 일제히 꽃을 피우기 시작한다. 꽃을 피우기 위해서 6년에서 7년을 기다릴 줄 아는 인내심이 크고 생명력이 강한 풀이다. 연한 보랏빛 꽃잎을 가지고 있으며 리본을 달고 있는 듯한 특이한 무늬가 꽃잎에 새겨져 있다. 꽃잎이 활짝 피다 못해 뒤집어지기까지 한 당당한 모습이지만, 고개를 숙여 땅을 향해 꽃피운다.

얼레지는 한 개체로만 봐도 충분히 예쁜 봄꽃이다.

하지만 얼레지의 더 큰 아름다움은 똑같이 생긴 보랏빛의 꽃 수천 송이가 한꺼번에 일제히 핀다는 것이다. 나뭇가지 사이로 비치는 햇살을 듬뿍 받으며 얼레지가 한꺼번에 꽃을 피우면 이루 말할 수 없을 정도로 아름

점봉산의 얼레지.

답고 경이로운 풍경이 만들어진다. 이때 주변에 현호색, 제비꽃, 괴불주머니 같은 봄꽃이 함께 피는데 점봉산은 초록빛 보랏빛 노란빛 꽃 색깔로 온통 화려해진다.

내 이야기를 해 보고 싶다.
컴퓨터를 전공하지 않았던 내가 우리나라에서 알아주는 IT 기업에 입사했으니 처음 몇 년의 회사 생활은 정말 행복했고 자신감도 가득했다.

새로운 환경에 적응하며 기술을 배우고 일을 알아가는 과정이 즐거웠고 새롭게 형성되는 인간관계, 경제활동을 함으로써 누릴 수 있는 약간의 호사로운 경험 등의 낯선 모든 것들이 날 설레게 했다. 회사에 대한 자부심이 가득했으며 구성원이 된 내 모습이 자랑스러웠다.

하지만 나에게 IT인의 길을 멀고도 험했다. 회사의 교육시스템은 둘째가라면 서러울 정도로 매우 잘 갖춰져 있었고 훌륭한 선배들이 있었지만 야생화와 생태학을 공부했던 나에게는 분명 한계가 있었다. 같은 기술을 배우더라도 IT에 대한 이론적 배경이 약한 나는 다

점봉산의 얼레지.
꽃이 뒤집혀 땅을 향해 핀다.

른 동기들에 비해 더 많은 공부를 해야 했다.

다른 사람들에 비해 뒤처진다는 생각이 항상 머릿속에서 맴돌았다. 이 생각은 점점 쌓여 몇 년에 한 번씩 나를 주기적으로 흔들었다. 내가 가는 이 길이 진정 나에게 맞는 길인지 나는 잘하고 있는지에 대한 의문은 항상 떠올랐고 불안했다. 솔직히 입사한 지 15년이 지난 요즘도 잘 모르겠다.

몇 년 전 회사 사춘기가 심하게 왔던 적이 있다. 일의 의미를 알 수가 없었고 나는 회사에 맞지 않는 사람이라는 생각이 강하게 들었었다. 당장이라도 회사를 그만두겠다는 마음이 가득했기에 항상 우울한 얼굴로 출퇴근을 했다. 한참 고민을 하다가 친한 과장님께 고민을 털어놓았다. 그분도 나와 비슷하게 IT와는 전혀 다른 분야를 전공하고 입사하신 분이셨는데 대수롭지 않다는 듯 이런 이야기를 하셨다.

"네가 좋아하는 것을 하기 위해 월급을 받는다고 생각하면 마음이 좀 괜찮을 거다. 회사 생활 열심히 하는 거 좋긴 한데 너무 애쓰지 말자 우리, 안되면 관두면 되잖아. 애쓰지 말고 그냥 월급 받아서 너 하고 싶은 거 해"

나의 고민의 깊이에 비해 너무 가벼운 그의 충고는 괜한 반발심만 생기게 했다. 그저 나와 비슷한 상황에서 회사 생활을 좀 오래 하신 분의 열정 없는 조언이라고 생각이 들었다. 하지만 회사 생활을 하다가 떠올릴 때면 참 현실적이고 위로가 많이 되는 조언이었다.

누구나 자기가 일하는 분야를 사랑하고 즐기고 싶어 한다. 나 역시도 내 일을 사랑하고 즐기고 싶다. 그런데 참 쉽지 않다. 아마도 회사 생활을 하면서 제일 힘든 일 중의 하나일 것이다.

15년 동안 내 분야를 사랑해 보려고 했는지 잘 안되었다. 여태껏 그렇게 노력했는데 안 되었으니 아마 퇴사할 때까지도 그럴 것 같다.

그나마 다행인 건 요즘은 과장님의 조언대로 많이 이루어졌다는 것이다. 회사에서 받은 경제적인 보상으로 내가 하고 싶은 걸 한다고 생각하면서 지내니 나는 내 일을 사랑까지는 아니어도 꽤 좋아하게 되었고 간혹 고마운 마음이 생기기도 한다.

야생화를 공부한 IT인.

나는 내 분야에서 일하는 다른 사람들과는 조금은 다른 특별한 경험과 기억을 가지고 있다. 많은 동료가 젊은 시절 알고리즘을 공부하며 밤을 새울 때, 나는 야생화의 개화 시기에 영향을 주는 환경적인 이유를 고민하고 있었고, 한 줄 한 줄 코딩의 기쁨을 누릴 때 나는 얼레지밭의 아름다움을 경험했다.

나의 생태학에 대한 지식과 경험들은 내 업무와 아무런 상관이 없었다. 하지만 내 삶을 무척 다양하게 해 주었다.

그리고 다른 방식으로 회사 생활에 도움을 주었다. 점봉산에서 보낸 몇 년의 기억은 업무에 지친 나를 위로해 주고 내가 내 일에 최선을 다 할 수 있게 해 주는 큰 힘이 되어 주었다.

코딩을 하다가, 데이터를 체크하다가 햇살이 좋은 날이면 문득 '천상의 화원' 봄의 점봉산 얼레지밭에 누웠던 순간이 떠오른다.

기회가 된다면 매년 봄 며칠씩 점봉산에 머무르고 싶

은 욕심이 있다. 그리고 그 욕심을 채우기 위해서라도 나는 나에게 주어진 업무를 성실하게 수행한다. 나는 내가 좋아하는 것들을 즐기기 위해 내 일을 한다고 생각한다. 나에게 행복했던 기억을 마음 편하게 다시 한 번 경험하기 위해서 하는 고마운 일이다.

점봉산의 얼레지.
봄이 되면 점봉산에 가득 핀다.

족두리풀

- 조금은 다른 방식 -

입사 후 3년 정도가 지나니 어느 정도 IT 일이 손에 붙기 시작했다.

하지만 아직 내 마음대로 일을 진행하기에는 부담스러운 시기였다. 당연히 거의 대부분의 업무를 선배들의 방식을 따라 하는 방법으로 진행하였다. 오랜 시간 동안 선배들이 만들었던 프로세스였기에 실수를 줄일 수 있었다. 그리고 잘 모르면 쉽게 물어볼 수 있었기 때문에 비슷한 연차의 부서원들은 대부분 이렇게 일을 했다.

친한 동기와 같은 업무를 했던 후배 A가 있었다. 이 후배는 업무처리 방식이 우리와 달라서 기억에 남는다. 생각하는 것도 특이한 후배였는데, A 사원은 업무를 진행할 때 선배들이 만들어 두었던 프로세스대로 업무를 하지 않았다. 자신만의 방법으로 뭔가 좀 독특하게 업무를 진행했다. 분명 매뉴얼이 있는데 어느 순간 보면 매뉴얼을 따라 하는 게 아니라 자신의 스타일로 일을 하고 있었다.

좋은 말로는 시대에 맞는 창조적인 인재였지만, 우리가 보기에는 그냥 자기 마음대로 업무를 진행하는 후배였다.

나와는 다른 시스템을 담당했기에 크게 상관없었지만, 사수였던 내 동기는 A 사원의 업무처리 방식을 좋아하진 않았다. 그래서 혼도 많이 냈다.

"A 씨, 오전에 이야기한 것 확인했어? "

"네 확인했습니다. 그런데 선배님이 말씀하신 것보다는 이렇게 하는 게 더 좋을 것 같아서 다른 것 먼저 확인했습니다.

"아~ 왜 내가 시키는 대로 안 하지? 어떤 식으로 진행한 건데? 그렇게 하면 안 된다고."

자기주장이 확실했던 내 동기는 자신이 하던 방식대로 하라며 A 사원을 자주 혼냈다. 동기들과 함께한 술자리에서는 항상 A 사원 이야기를 하며 답답함에 가슴을 쳤다. 하라는 대로 하면 되는데 왜 자기 마음대로 하는지 모르겠다며, 결국 지도하던 자기까지도 혼나게 된다고 미치겠다고 투덜거리곤 했다.

하지만 자의식이 강한 건지, 선배들이 기존에 만들어 놓은 프로세스가 마음에 안 들었던 건지 A 사원은 자기의 방법으로 계속 일을 해 나갔다. 자기가 더 합리적이고 더 나은 방법으로 일을 할 수 있다고 생각했는지도 모른다. 선구자의 길을 가려고 할 것일 수도 있었다.

그래서였을까 방법을 바꾸지 않았던 A 사원은 더 자주 혼났고 그 강도도 점점 강해졌다. 그런데 참 신기했던 건 어찌어찌 자신의 방법으로 목표를 이루었다. 시간은 좀 더 걸렸고 조금은 더 힘겨워 보였지만 어떻게든 임무를 완수하였다. 참신하기도 했지만 그만큼 선배에게 많이 혼나기도 했고, 시행착오로 인한 실수로 다른 사람들을 고생시키기도 했다.

족두리풀.

꽃은 거의 바닥에 붙어서 피고, 퀴퀴한 색깔이다.

그래도 어떻게든 목표를 완수하는 모습을 보면 정말 신기했다. 물론 옆에서 보고 있던 내 동기는 죽을 지경이었지만……

나는 A 사원을 보면서 족두리풀을 떠올렸다.

곰 같았던 20대 후반 남자 아저씨를 보면서 꽃을 떠올리기 쉽지 않지만, 난 A 사원을 보면 족두리풀이 자꾸 생각이 났다.

족두리풀은 쥐방울과의 풀로 우리나라나 중국 일본 산지의 축축한 나무 그늘에서 산다. 꽃이 시집갈 때 쓴다는 족두리와 비슷하게 생겼다고 해서 만들어진 이름이며 꽃은 봄에 피운다.

나는 족두리풀을 2004년 3월 점봉산의 연구지에서 처음 만났다.

꽃이 땅에 가까이 있고 색깔이 화려하지 않아 눈에 쉽게 띄지 않았지만 계속 머릿속에 남아 있던 꽃이었다. 족두리풀은 내가 알고 있던 꽃과는 많이 달랐기 때문이다. 사람들이 보통 꽃을 머릿속에 그릴 때는 기다란 줄기 위에 꽃이 달린 모양을 생각한다. 하얗거나 노랗게

밝은 색깔을 떠올리고, 좋은 향기를 내서 벌이나 나비를 유혹해서 수정을 한다고 여긴다.

하지만 족두리풀은 우리가 일반적으로 생각하는 꽃과는 다르다. 가장 눈에 띄는 차이점은 꽃이 땅바닥 가까이에서 핀다는 것이다. 그리고 그 위로 줄기가 있고 잎이 마치 지붕처럼 꽃을 가린다. 꽃 색깔도 화려하거나 밝지 않다. 뭔가 퀴퀴하고 썩은 나무 같은 색깔이다.

점봉산에 조사를 가서 처음 이 꽃을 발견하고는 그 모양이 참 특이해 의문이 생겼다. 나름 생물학을 전공했던 학생으로서 이해가 되지 않았다.

'이 모양은 수정에 절대적으로 불리할 텐데..... 어떻게 수정을 어떻게 하는 걸까? 다른 봄꽃과 경쟁할 때 나비와 벌을 유혹하기가 쉽지 않을 텐데? 그런데 개체 수는 많네? 어떻게 번식을 한 거지?'

꽃을 피우는 풀에게 수정이란 일생일대의 제일 큰 숙제이며 숙명이다. 자신의 유전자를 남기기 위해 반드시 해야 하는 일이다. 그래서 식물들은 어떻게든 수정이

유리하도록 자신들을 진화시켜 왔다. 그런데 족두리풀은 번식에 불리한 모양이라니.... 어떻게 된 걸까?

한참을 생각하다가 교수님께 물어보고 나서야 의문이 풀렸다.

족두리풀의 수정은 나비가 꿀벌처럼 날아다니는 곤충이 하는 것이 아니었다. 지네나 개미 같은 땅을 기어다니는 곤충들이 족두리풀의 수정을 담당한다. 화려한 색깔과 꿀로 벌과 나비를 유혹하는 것이 아니라 땅바닥에서 사는 개미나 지네를 유혹하는 것이다. 그래서 꽃의 위치는 바닥에 가까이 있고 꽃 색깔로 썩은 나뭇가지나 썩은 열매 같은 거무튀튀한 색깔이다.

유전자 입장에서 보면 족두리풀은 매우 성공한 종이다. 다른 꽃과는 다르게 특이한 번식 전략을 통해서 유전자를 이어나가고 있으니 충분히 성공한 한해살이풀이다.

A 사원은 족두리풀이었다. A 사원은 기존 선배들의

점봉산에서 흔하게 볼 수 있는 족두리풀.

방식을 따라 하지 않았다.

족두리풀이 선택한 번식 전략처럼 특이하지만 자신만의 방법을 찾아내고 있었다. 많은 선배들이 만들어준 벌과 나비를 위한 꿀이 아닌 지네나 개미를 위한 방식을 찾은 것이다.

업무를 하다 보면 사람마다 업무 스타일이 모두 다르다. 정말 각양각색이다. 어떤 사람은 딱따구리처럼 계속 쪼아가면서 일을 하기도 하고, 어떤 이는 윗사람을 정말 기가 막히게 잘 이용하는 사람도 있었다. 청국장처럼 일을 푹 고아 두다가 닥치면 야근과 밤샘을 하면서 벼락치기로 일을 하는 사람도 있다. 그 업무 스타일에 나쁜 건 없다. 조금 다를 뿐이고 점점 익숙해지는 것이다. 익숙해지기 전까지 많이 혼이 나고 시행착오도 많이 겪을 뿐이다.

나 역시도 디테일이 부족하다고 혼이 많이 나기도 했고, 도대체 무슨 이야기를 하고 싶어 하는 보고서인지 모르겠다는 질책에 수십 번을 다시 작성하기도 했다. 하지만 시간이 지나면서 나만의 스타일을 찾았고 인정받았다. 업무 수행 능력은 늘어났고 내 주변의 사람들도 내 스타일에 익숙해졌다.

A 사원은 족두리풀처럼 성공했을까?
안타깝게도 A 사원은 얼마 되지 않아 회사를 그만두었다. 동기의 무한 갈굼에 못 이겨서인지, 시키는 대로 해야 하는 대기업의 생리가 몸에 안 맞아서인지 나는 A 사원의 성공 스토리를 끝내 보지 못했다.

A 사원에게 시간이 조금만 더 있었다면 어떻게 되었을까? 아마 조금만 연차가 더 올라간 후 자신만의 업무 스타일을 찾았다면 인정도 받고 성공했을 것이다. 남들이 하는 흔한 방식이 아닌 족두리풀처럼 자신만의 독특한 방식으로 어디선가 꽃 피웠을 것이다.

족두리풀이 살아가는 방식은
다른 꽃들과 사뭇 다르다.

관중

- 풍경을 바꾸는 힘 -

점봉산 숲의 풍경은 다른 숲과는 사뭇 다르다.

색은 짙고 그늘은 유난히 깊다. 숲은 고생대부터 같은 풍경으로 계속 이어져 온 모습이다.

넘어진 나무들, 그 나무들을 감싸고 있는 짙은 녹색의 이끼와 낯선 식물들, 그리고 으스스한 느낌의 큰 양치식물이 가득하다. 많은 요소가 점봉산의 숲을 아주 오래된 풍경으로 보이게 하는데 그중에서도 가장 결정적인 역할을 하는 것 중 하나가 바로 '관중'이라

관중. 양치식물이다.

관중이 가득한 점봉산 숲은 마치 고생대의 숲 같다.

는 양치식물이다.

주로 꽃이 피는 초본을 조사했던 나에게 양치식물인 관중은 관찰 대상이 아니었다. 하지만 녹음이 가득해지는 늦은 봄 무렵 점봉산에 들어서면 관중은 다른 어떤 꽃보다 더 눈에 띄기 시작한다. 생김새는 일반 식물의 모습과 다르고 크기는 사람 키만큼이나 크며, 숲 어디에서나 보일 만큼 개체 수가 많기 때문이다.

나도 그랬고, 점봉산을 함께 방문했던 대부분의 친구나 팀원들은 숲길에 들어서자마자 다른 숲의 분위기와 다르다는 것을 느꼈다. 동료들은 공룡이 가득했던 고생대의 숲을 상상했다. 그리고 이 낯설고 오래된 풍경의 이유가 덩치 큰 양치식물 때문이라는 것을 깨닫고 관중의 정체를 물어보곤 했다.

관중은 고사리목 면마과의 여러해살이풀이다.

아주 큰 고사리라고 생각하면 머릿속에 그리기가 쉽다. 고사리목답게 입 뒷면에는 포자낭이 가득하다.

관중 뒷면의 포자낭.
처음 본 사람들은 벌레가 아니냐며 기겁하기도 한다.

관중의 포자낭을 처음 본 사람들은 벌레가 붙어 있는 것 같다고 오해하며 징그러워하기도 했다.

보통 산지의 그늘지고 습한 곳에서 무리 지어 자라며 잎은 1미터가 넘게 자란다. 크기도 크기지만 모습은 더 특이하다. 흔히 우리가 알고 있는 고사리와는 달리 큰 줄기가 없고 잎이 뿌리에서부터 그대로 자라난 모습이다.

커다란 잎사귀 여러 개가 땅 위에서 바로 핀 모습이라고 생각하면 된다.

특히 봄에 점봉산 숲 여기저기에서 싹이 트기 시작할 때면, 관중은 더 괴기스럽게 보인다. 돌돌 말린 잎이 땅에 붙어서 올라오기 시작하는데 털이 가득 붙어 있어 처음 보면 식물인지 벌레인지 구분이 안 될 정도이다.

이러한 관중의 특징들은 점봉산을 원시림이 가득한 고생대의 숲처럼 보이게 만들어준다.

관중은 점봉산의 숲의 풍경을, 분위기를 바꾸는 존재이다.

K 선임은 수재이다.

고학력자가 많은 우리 회사에서도 눈에 띄일 정도의 학력과 기술력을 가진 최고급 인력 중 하나였다. 주변 동료들은 그가 높은 기술력을 필요로 하는 업무를 수행하는 것은 당연하다고 생각했다.

하지만 K 선임은 GWP (Good Work Place) 담당자를 손수 맡았다. 회식 자리를 알아보고 족구대회 같은 부서 이벤트를 기획하며, 후배들의 마음 관리를 해주는 등 기술력이 크게 필요 없는 업무를 수행하겠다고 직접 손을 들고 나선 것이다.

※ GWP (Good Work Place) : 지금은 워라밸이 대세지만 몇 년 전에는 GWP가 있었다. 조직문화를 즐겁게 만들어 일하기 좋은 일터를 만드는 것이 목표이다.

K 선임은 기술적인 업무를 할 때보다 훨씬 즐거워 보였다.

GWP 담당자를 안 시켜줬으면 어떻게 했을까 하는 말이 나올 정도로 누구보다도 열심히 그의 역할에 최선을 다했다. 업무도 훌륭하게 수행하였고 그는 처음부터 GWP 업무를 하기 위해 태어난 사람처럼 보일 정도였다.

당시 우리 부서는 두 개의 부서가 합쳐진 지 얼마 안 된 시기였다. 서로를 잘 몰라 생기는 오해와 담당자 간의 기 싸움, 거기에 더해 새로운 부서장의 억압적인 성향은 우리 조직을 경직되고 딱딱한 분위기로 만들어가고 있었다. 하지만 다행히도 K 선임의 긍정적이고 에너지가 가득한 행동은 우리 사무실의 분위기를 많이 바꾸었다.

특히 K 선임이 기획한 몇 개의 이벤트가 연달아 히트했는데 가장 기억에 남는 이벤트 중 하나가 부장님들만을 위한 "6070 파티"였다. 당시에 나는 기획 업무를 하고 있었기에 행사에 참석해서 직접 볼 수 있는 기회를 얻었는데 K 선임이 기획한 이벤트는 매우 즐거웠다.

사람 키만큼이나 큰 점봉산의 관중. (출처: 한국일보)

행사는 부장님들이 학생쯤일 때 유행했던 음악을 배경음악으로 시작되었다. 부장님들은 시작부터 이미 노래를 따라 부르며 신이 났었다.

행사의 가장 하이라이트는 부장님들의 젊은 시절 사진을 띄워 놓고, 누구인지 알아맞히는 시간이었다. 머리카락이 많이 사라지신 우리 부서 최고령 부장님의 대학생 때 모습이 화면에 나왔다. 풍성한 머리카락을 자랑하며 낯설지만 낯익은 청년이 해맑게 웃고 있었다. 사진이 나온 당사자도 매우 행복해했고 주변 사람들도 무척 즐거워했다.

그 분위기는 식사 자리까지도 이어져 많은 분이 웃고 즐기며 그날의 행사를 만끽했다.

이벤트 다음날의 사무실 분위기는 예전에 우리 사무실이 맞는지 의심이 갈 정도로 밝고 즐거웠다. 서로 대화를 할 기회가 거의 없어 애매하게 어색한 사이였던 부장님들에게 전날의 이벤트는 즐거운 이야깃거리가 되었다. 그들은 깔깔거리며 전날의 이벤트에 대해 이야기했고, 이 행사를 기획했던 K 선임을 칭찬하였다.

회사 생활을 하다 보면 풍경을 바꾸고 풍경을 결정짓는 사람이 있다.

부서원들에게 소리를 지르고 지옥처럼 만드는 성질 더러운 부서장일 수도 있고 K 선임처럼 긍정적이고 에너지가 가득한 사람일 수도 있다.

우리 사무실에서 K 선임은 점봉산 숲의 관중이었다. 그 한 사람으로 인해 우리 사무실의 풍경은 많이 바뀌었다.

점봉산을 방문하는 많은 사람이 야생화가 가득한 봄의 풍경을 사랑한다.

온갖 빛깔의 꽃들이 가득하고 나뭇가지 사이로 들어오는 햇살은 따사롭다. 아직 쌀쌀하지만 따뜻함이 묻어 있는 바람도 느낄 수 있다.

하지만 시간이 허락된다면 녹음이 우거지기 시작하는 초여름 시기에도 방문하기를 권해본다. 다른 숲과는 사뭇 다른 풍경의, 마치 아주 오래전 고생대부터 이어져 온 것 같은 원시림의 숲을 느낄 수 있을 것이다.

그리고 그 풍경의 중심에 있는 관중을 볼 수 있을 것이다.

관중이 가득한 숲.
초여름 점봉산의 풍경을 결정짓는다.

제비꽃

- 눈부신 보랏빛의 기억 -

나의 군 생활은 꽤 낭만적이었다.

나는 다도해가 보이는 남쪽 바다의 한적한 해군 기지에서 2년 반을 지냈다.

다른 군인들과는 달리 자유로운 생활이 적지 않게 보장되었기에, 겨울날 늦은 아침엔 햇살 반짝거리는 바다를, 보름달 뜬 밤이면 바다에 비춰 찰랑거리는 달을 한가롭게 볼 수 있었다. 가끔은 태풍을 피해 군항으로 들어온 돌고래를 구경하기도 했고, 갈매기에서 건빵을 던져주며 하루를 보내기도 했다.

보랏빛의 제비꽃.

지루함을 달래기 위해 어느 날부터 나는 주변을 자세히 살피기 시작했다. 선임들에게는 부대 주변을 정리정돈하기 위한 관찰이라고 이야기했지만, 사실 별로 할 게 없었기 때문이다.

계절마다, 하루마다 다르던 남쪽 바다.

근무지 근처에서 살고 있던 곤충과 풀, 나무, 갈매기, 물고기, 바다의 색깔, 그날의 날씨, 주변에서 나는 소리 등 아주 사소한 것들을 관찰하고 느꼈다. 근무지 코앞까지 들어온 숭어 떼의 숫자를 세어 본 적도 있었고, 건물 주변에 민들레가 몇 송이나 되는지 세어 보기도 했다. 건빵으로 유혹한 개미들을 반나절 동안 관찰한 적도 있었다.

진해 해군 기지의 봄은 빠르고 따뜻하다.

어느 이른 봄날, 나는 근무지 주변 도로 연석 사이에 핀 보라색 꽃을 보았다. 봄 햇살이 좋았기 때문이었으리라. 그렇게 아름답고 눈부신 보랏빛은 처음이었다. 꽃의 이름도 모른 채 그 보랏빛에 홀려 몇 시간 동안이나 넋을 놓고 앉아 살폈다.

무슨 꽃일까? 바람꽃? 팬지? 지금까지 본 적이 없었던 꽃이었다. 꽃에 대한 지식은 없었고, 군대라는 제한된 장소에서는 꽃 이름을 알아낼 방법이 없었기에 그저 미뤄 짐작하기만 했었다.

꽃이 지고 몇 달 후 휴가 중에 들른 서점에서 나는 그 꽃이 제비꽃이란 것을 알게 되었다. 봄에 피는 흔한 꽃, 보라색뿐만이 아니라 노란색 하얀색도 흔하게 피는, 우리나라 여러 지역에서 쉽게 볼 수 있는 꽃. 그 사실을 알고 나서 나는, 다음 봄에 다시 제비꽃을 보기 전까지 보랏빛을 그리워했다.

제대하고 복학 후 제비꽃은 매우 흔하고 주변에서 쉽게 볼 수 있는 꽃이란 것을 깨달았다. 학교 풀밭 어디에서나 흔하게 피어 있었다. 동아리 활동을 위해 자주 들르던 학생회관 뒤편에, 축구를 하려고 나간 운동장의 한구석에서도, 도서관 옆 화단에서도 쉽게 볼 수 있었다. 인식하지 못했던 꽃들이 눈에 띄기 시작한 것이다.

점봉산에서 만난 제비꽃.

점봉산에서 만난 흰제비꽃.
흰제비꽃도 쉽게 볼 수 있다.

눈부시게 빛나던 남쪽 바닷가의 제비꽃 보랏빛 때문이었을 것이다.

그 보랏빛 때문에 내 삶은 꽤 많이 바뀌었다. 분자생물학을 전공하던 나는 생태학을 함께 공부하기 시작했다. 심지어 생태학 실험실에 프로젝트 멤버로 참여해 우리나라 야생화를 관찰하고 연구했다. 거의 매주 야생화를 관찰하기 위해서 우리나라 마지막 원시림이라는 점봉산에 다녔다.

제비꽃, 얼레지, 현호색, 벌깨덩굴, 한계령풀, 금강초롱, 연령초 등등...... 갈 때마다 바뀌어 있던 점봉산 숲의 꽃 풍경을 보고 느꼈다.

20년 가까이 지난 지금 나는 비록 생태학과는 완전히 다른 IT 업계에서 일하고 있지만, 내 20대의 삶은 온갖 꽃들의 기억으로 가득하다.

꽃들이 살아가는 방식은 비슷해 보이지만 한편으로는 매우 개성이 넘친다.

회사 생활을 하다 보니 내 주변의 많은 사람들이 살아

가는 방식도 꽃들과 비슷했다. 공통적이지만 특이한 사람들......그리고 그런 사람들을 볼 때마다 생각났던 꽃들. 어떤 이는 족두리풀이었고, 어떤 이는 바람꽃 같았다. 또 어떤 이는 겨우살이를 닮았고 어떤 이는 얼레지와 비슷했다.

연석 사이의 보랏빛을 처음 발견한 지 거의 20년이 넘었지만 지금도 매년 봄볕이 따뜻해지기 시작하면 눈부셨던 햇살 아래 보랏빛이 계속해서 생각난다. 흔하지만 나에게는 그 무엇보다도 특별한 꽃. 내 인생의 많은 부분을 바꾸어 놓았던. 작은 보랏빛 꽃.

지금도 따스했던 이른 봄 어른거리는 남쪽 바다의 눈부신 제비꽃이 그려진다.

점봉산의 제비꽃.
이른 봄이 되면 보랏빛이 그리워진다.

서양민들레

- 우리 꽃일까? 서양 꽃일까?-

입사 4년 차 직장인 사춘기로 한참 방황하던 나에게 특별한 기회가 찾아왔다.

해외 출장이었다. 그것도 미국 출장! 동기들은 출장 기회조차 거의 없었고, 가 봐야 가까운 중국이 전부였는데 미국이라니. 선택받은 자의 기쁨과 설렘으로 출장을 준비했다. 사춘기는 사라졌고 야근은 즐거웠다.

나는 로스앤젤레스 남쪽에 위치한 어바인의 한 건물에서 그룹사 IT 프로젝트의 팀원으로 한 달 정도 일을 하게 되었다. 북미, 중미, 남미 법인 IT 담당자들과 한국에서 출장을 온 많은 사람이 함께하는 매우 큰 프로젝트였다.

내 업무 파트너는 북미 법인의 L 누나였다

L 누나는 한인 2세로 알래스카에서 태어난 미국인이었지만 꽤 토속적인 한국 이름도 가지고 있었다. 알래스카의 자연을 좋아해서 고향의 여름을 이야기할 때면 눈이 반짝거렸다. 한국말은 살짝 혀가 굴러가는 발음으로 꽤 능숙하게 구연했지만, 한글을 읽고 이해하는 데는 시간이 좀 더 걸렸다. 누나는 머릿속에서 한글을 영어로 번역하는 과정이 필요하기 때문이라고 했다.

업무를 하다가도 하루에도 몇 번씩 갑자기 의자를 당겨 앉고 허리를 꼿꼿하게 세워 정자세로 고쳐 앉아 메일을 소리 내서 읽기 시작할 때가 있었다. 한국어로 온 메일을 읽을 때였다. 그러다가 모르는 단어가 나오면 옆자리인 나에게 바로 묻고 했다.

"헤이! 명일? 명일이 모야? What's that mean? 이게 뭐선 뜻이야?"

"누나 내일이요 내일. 투모로우~"

회식이 있던 날이었다.

업무가 남아 있던 나는 참석할 수가 없었다. 저녁은 숙소에 들어가서 대충 먹거나 여의치 않으면 그냥 넘길 생각을 하고 있었다. 다른 동료들이 회식을 떠난 지 30분 정도 지났을까? 회식에 간 줄 알았던 누나는 햄버거 세트 2개를 사 왔다. 이 동네에서만 먹을 수 있다는 햄버거라고 했는데 크기가 평소에 먹는 불고기버거의 2배는 되어 보였다.

그래도 업무 파트너라고 챙겨주는 마음이 너무나 고마웠다.

"남자는 배고프면 안 돼. 이거 남기면 나중에 지옥 가서 돠~ 먹어야 한다고 할뭐니가 그랬어. 얼른 먹어. 다 먹는 거 보고 갈꺼야"

농담처럼 말했지만 눈빛은 진심이었다. 한국에서도 어르신들에게서나 들을 만한 멘트를 태평양을 건너와서 미국 땅 한 가운데서 듣다니. 그것도 나보다 고작 몇 살 많은 누나에게서. 나는 사뭇 놀라며 감자튀김을 집어 들었다. 누나는 내가 힘겹게 햄버거 세트 2개를 다 먹는 것을 끝까지 지켜보곤 뿌듯하게 다시 회식 장소로 떠났다.

고봉밥을 차려주시곤 다 먹으라고, 힘겹게 밥그릇을 비우고 나면 모자라지 않느냐고 주걱을 주섬주섬 잡으시던 우리 고모가 문득 생각이 났다.

누나는 미국인이었지만 나보다 더 한국인 같았다. 한국인의 정도 나보다 더 많았다. 어쩌다 가족에 대해 이야기를 할 때면 흡사 동네 어르신과 대화하는 느낌도 들었다. 많은 생각이 누나의 부모님이 이민을 갔던 1970년대 한국에서 멈춰 있던 것처럼 느껴졌다. 오히려 덜 전통적인 건 2010년대 한국에서 출장을 간 나였다.

점봉산의 조사 구간의 시작과 중간쯤엔 하늘이 열리는 부분이 있다.

이 구간은 민가가 몇 채 있고, 소루쟁이, 닭의장풀, 개망초 등 우리가 길거리에서 쉽게 볼 수 있는 꽃들이 많다. 그중 하나가 민들레이다.

나는 길가에 피어 있는 민들레를 보고 아무 생각 없

이 민들레라고 기록했다. 교수님은 민들레의 꽃잎 뒷부분을 슬쩍 보시더니 서양민들레라고 기록을 고치라고 하셨다.

'서양민들레? 귀화식물? 점봉산은 마지막 남은 우리나라 고유의 원시림이라며? 귀화식물이 있다고?'

왜일까 궁금했다. 곰곰이 생각해 보니 여긴 민가가 있고 꽤 사람들이 오고 가는 길이니까 서양민들레가 있을 만하다고 여겼다. 다만 이 깊은 산골에서, 당연히 우리나라 토종 꽃만 있을 것으로 생각했던 점봉산에서 유럽산 꽃을 만나니 묘한 이질감과 함께 배신감도 살짝 느꼈다.

토종민들레와 서양민들레를 구분하는 방법은 간단하다. 꽃을 받치고 있는 꽃받침이 까져 있으면 서양민들레, 감싸고 있으면 토종민들레이다. 서양민들레가 좀 더 노랗고 토종민들레는 좀 더 연하다.

토종민들레는 벌과 나비들에 의해서만 씨앗을 내릴 수 있지만 서양민들레는 바람에 날아가서도 씨앗을 내릴 수 있다고 하니 퍼지는 속도가 토종민들레가 상대가 될 수가 없다.

점봉산의 서양민들레.
꽃받침이 살짝 까져 있다.

서양민들레는 정확하진 않지만 1910년대쯤 우리나라에 들어왔다고 한다. 유럽에서 시작된 꽃이지만 100년이 넘는 시간 동안 강한 생명력과 번식력으로 우리나라 방방곡곡에 퍼졌다. 요즘 토종민들레는 보기 힘들어졌고 길거리에서 보이는 민들레의 대부분은 서양민들레라고 한다.

점봉산 조사 구간에서도 서양민들레가 많았다. 언제 이곳 깊은 산골까지 들어왔는지는 모르겠다. 사실 나는 조사하는 동안 서양민들레가 못마땅했었다. 우리 자생종을 조사한다는 자부심 때문이었고, 우리 꽃인 줄 알았던 민들레가 서양산이었다는 배신감으로 마음을 닫았기 때문이다. 기록에서 지우고 싶은 마음도 있었다.

서양민들레는 우리 꽃이 아닐까? 우리 땅에 온 지 100년이 지났고 몇 세대를 거쳐 적응했으며 개체도 많으니 우리 꽃이라고 해도 될까? 아니면 서양에서 온 유전자를 가졌으니 그냥 서양 꽃일까? 우리 꽃의 기준은 무엇일까?

L 누나는 한국인일까? 아니면 나보다 더 한국인의 마음을 가진 미국인일까?

출장이 끝나고 몇 년 후 아내와 방문한 점봉산에서 노란 서양민들레를 보면서 나는 L 누나가 떠올랐다. 그리고 그 이후로 민들레를 보면 미국 출장 때 만난 많은 한인 2세 분들이 생각이 난다. 부모님 세대부터 민들레처럼 강하게 뿌리 내리고 자리 잡은 분들.

업무도 부서도 바뀌었지만 L 누나와는 계속 인연이 되어 아직도 사내 메신저로 안부를 묻는다.

"L누나! 할룽"으로 영어 이름 대신 그녀의 토속적인 한글 이름으로 메신저를 시작한다. 그리고 나는 한글을 사용하고 누나는 영어를 사용하는 신기한 대화창이 생겨난다. 다행인 건 이젠 누나의 한글 실력이 많이 늘어나서 내 메신저를 잘 이해한다는 것이다. 아마 정자세로 자세를 바꾸지도 않을 것이다.

누나는 미국인이며 한국인이다. 하지만 미국인이든

점봉산의 흰민들레.
요즘은 주변에서 보기 힘들어졌다.

한국인이든 내게는 중요하지 않다. 나에게는 알래스카의 아름다운 여름을 이야기해 준, 내가 배고플까 봐 햄버거 세트를 2개나 사 온 그저 고마운 사람이다.

서양민들레는 서양 꽃이며 우리 꽃이다. 하지만 굳이 구분하는 것이 중요하지는 않다. 100년 더 전에 유럽에서 넘어와 우리나라 가장 깊은 골짜기까지도 퍼진 강한 꽃이다.

서양민들레.
서양꽃이지만 우리꽃이다.

한계령풀

- 숨은 보석 같은 존재 -

시스템 유지 보수에 관련된 프로젝트를 진행하다 보면 생각지도 못했던 리스크를 만나곤 한다.

고객의 무리한 요구나 납기 단축 요청은 꽤 흔했고, 그 외에 생각지도 못했던 많은 문제가 생긴다. 어찌 보면 프로젝트의 성공은 많은 리스크들을 하나씩 해결해 나가는 과정의 결과라고도 볼 수도 있다.

수많은 리스크 중에서 아마도 가장 큰 리스크는 함께 일하는 사람에 관한 리스크일 것이다.

프로젝트가 힘들고 고되더라도 함께 일하는 사람끼리

똘똘 뭉치면 어떻게든 해결이 된다. 하지만 함께 일하는 사람이 힘들게 하면 정말 답도 없다.

PL(프로젝트 리더)로 프로젝트에 참여하고 있을 때였다.

기존에 있던 시스템에 외부 시스템과 통신하는 인터페이스 모듈을 만드는 것이 프로젝트의 주된 내용이었다. 부수적으로 외부 시스템과 통신해서 수집한 데이터를 기존 시스템에 컨트롤하며 집계하는 화면을 구축해야 했다.

데이터를 주고받는 역할을 하는 인터페이스 모듈이 70% 이상을 차지했기에 이것을 얼마나 잘 구축하느냐가 프로젝트의 성공 여부를 판가름하였다. 많은 양의 데이터를 외부와 통신해야 했기에 프로젝트 팀원들은 코딩 능력뿐만 아니라, 네트워크 기술과 보안, 성능 튜닝 등 일반적인 시스템 개발과는 조금은 다른 특별한 기술이 필요했다.

그 일을 할 수 있다고 하는 경험했던 외주 개발자가 섭외되었고 우리는 함께 일하게 되었다.

그동안 많은 외주 개발자분과 함께 일을 해 보았는데 C 개발자와 그의 팀은 처음이었다.

첫 프로젝트 회의에서 C 개발자, 그리고 그와 함께 팀을 이루며 들어온 두 명의 개발자는 자신들이 인터페이스 기술에 특화되어 있다고 매우 자신 있게 이야기했다. 이력서에도 인터페이스 기술이 주로 필요했던 다른 프로젝트에서 주도적으로 개발한 경험이 기재되어 있었다.

PM과 나는 매우 자신 있어 하는 그들을 보고 생각보다는 수월하게 프로젝트를 완수할 수 있겠구나, 하며 기대했었다.

우리는 C 개발자 팀과 함께 프로젝트를 시작했다.

처음 일주일 정도 초기 세팅이 끝나고 본격적으로 개발을 시작하면서 조금씩 문제가 발생하기 시작했다. C 개발자에게 요청한 납기가 조금씩 틀어지고 있었다. 세팅이 문제였다거나, PC가 이상하다거나 등의 핑계를 대면서 조금씩 납기를 넘기고 있었다.

PM이 지속적으로 피드백을 요청해도 묵살하기 일쑤였다. 그저 거의 다 되었다고 조금만 더 하면 된다며 계속해서 조금만 시간을 더 달라고 했다. 조금씩 늘려 달라던 납기는 일주일, 이 주일을 넘기더니 삼 주일이 넘어가도 결과가 나오지 않았다.

그리곤 거의 한 달이 다 된 시점쯤 그들은 폭탄선언을 해 버리고 말았다. 개발을 못 하겠다고 선언하고 키보드에서 손을 놓아 버린 것이다.

나름 몇 번의 프로젝트 경험이 있던 나였지만 개발자가 개발을 못 하겠다고 포기한 것은 정말 그때 처음 봤다. PM 역시 처음 겪는 상황이라고 어이없어했다. PM이 C 개발자에게 경험이 있다고 하지 않았냐고, 경력에 적혀 있지 않았냐고 물어보니 자신들이 했던 방식과는 다르다는 것이다. 왜 말을 안 했냐고 물어보면 비슷할 줄 알았다고 조금만 더 하면 될 것 같았다고 변명하곤 했다.

이미 개발 기간은 꽤 늦어져 아주 난감한 상황이었다. 처음부터 하지 못한다고 하면 대응을 할 수 있었는데 아예 뒤통수를 맞아 버린 케이스였으니.

그들은 시스템 연계와 관련된 기술력을 가지고 있지 않았다.

그들의 이력 역시 모두 뻥튀기였다. 나중에 알고 보니 이력서 기재되어 있던 경력 사항은 해당 프로젝트에 참여만 했을 뿐이지 시스템 연계와는 아예 다른 부분을 개발했다고 했다.

우리는 기만당했다.

가장 힘든 케이스에 걸려 버린 것이다. 특히 PM은 고객에게 시달리고 개발자들이 속을 썩이니 잠도 제대로 이루지 못했다. 입술은 부르트고 엄청난 스트레스로 하루하루 피폐해지는 것이 보였다. 이제 와 새로운 개발자를 수소문해서 구할 수도 없는 노릇이었다.

※ 새로운 개발자를 섭외하려면 시간이 더 오래 걸린다. 그리고 이렇게 급하게 프로젝트를 땜빵하는 케이스라면 다른 개발자들은 오려고 하지 않는다.

PM(Project Manager)은 어떻게든 해결해 보려고 노력하였다. 고민하던 PM은 지푸라기라도 잡으려는 심정으로 나와 함께 내부 프로세스를 담당하고 있던 K 선임을 인터페이스 개발 쪽으로 이동시켰다. K 선임은 이제 입사한 지 5년 정도밖에 되지 않은 꼬마 선임이었다. 그는 군소리도 하지 않고 알겠다고 했다.

심상치가 않았다. 같이 일하며 어느 정도 예상을 했었지만 그의 코딩 실력은 정말 어마어마했다. 그는 며칠 동안 책을 찾아보고, 구글링을 하고 다른 동료들에게 이래저래 물어보았다. 그리고 며칠을 뚝딱뚝딱하더니 연계 모듈을 통째로 개발해 냈다. 연계 모듈을 경험해 본 적이 없었다는 K 선임이 업무 변경 요청을 받고 2주가 채 안 된 시점이었다.

개발자 3명이 해야 할 일을 입사한 지 5년도 안 된 선임이 2주도 안 되어서 완료해 낸 것이다.

개발 서버에서 나오던 통신 성공 로그 한 줄을 보고 매우 감동하며 안도의 한숨을 내쉬던 PM의 모습이 기억에 선명하다.

K 선임에게 물어보니 그냥 생각한 대로 해 봤는데 되었다고, 궁금해서 퇴근 후에 집에서 이렇게 저렇게 시도해 봤더니 작동하더라고 대수롭지 않게 이야기를했다. K 선임은 실력자, 은둔의 고수였다. 숨어있는 보배 같은 존재였다.

한계령풀.
숨어 있는 보석 같은 꽃이다.

점봉산에도 은둔의 고수, 숨어 있는 보배 같은 꽃들이 있다.

그중에 한계령풀은 많은 사람들이 인정하는, 숨어 있는 보배 같은 꽃이다. 한때 환경부 지정 보호종으로 분류가 되어 있던 귀한 꽃이다. 그래서 점봉산에서 야생화를 조사하다가 한계령풀을 만날 때면 흙 속에서 보물을 발견한 것처럼 기분이 좋아졌다. 우리나라와 만주 지방에서만 살고 있는, 세계적으로도 흔하지 않은 귀한 꽃이라기에 더 그랬으리라.

한계령풀은 쌍떡잎식물 미나리아재비목 매자나무과의 여러해살이풀로 북한에서는 메감자라고 부르기도 한다. 콩나물처럼 긴 뿌리 아래 감자나 고구마 같은 구근이 있다. 이름에서 느껴지는 것처럼 한계령 부분에서 제일 먼저 발견이 되었다고 한다.

한계령풀은 샛노란 꽃 여러 송이가 한 줄기에 한꺼번에 핀다. 꽃 한 송이 한 송이를 보면 앙증맞고 귀엽다. 보통 혼자 살지 않고 군락을 이루며 살고 있다. 등산하다가 우연히 한계령풀을 발견하게 되면 주변을 넓게 보길 권한다. 다른 한계령풀도 주변에 있을 가능성이 매우 높다.

나 역시 조사를 하다가도 한계령풀을 만나면 허리를 펴고 주변을 조금 멀리 둘러보았다. 그럼 거의 영락 없이 군락지가 있었다. 한계령풀이 군락지에 한꺼번에 피어 있는 모습을 보면 노란 별이 반짝거리는 것 같다.

점봉산에서 한계령풀은 보기 힘들 정도는 아니었지만 그렇다고 눈에 잘 뜨이지도 않았다.

한 번은 조사를 하던 다른 팀원 중 한 명이 한계령풀 연구를 위해 군락지를 찾을 때 도와달라고 말했다. 등산로에서 벗어나야 하지만 조그맣게라도 길이 있으니 많이 힘들지 않을 거라고 했다. 한참 산에서 야생화를 조사하는 데 재미를 붙였던 나는 호기롭게 도와준다 했다. 하지만 그 결정이 그렇게 고생스러울 줄은 몰랐다.

지금은 핸드폰으로도 가능하지만 당시에는 흔하지 않던 GPS 수신기를 들고 위치를 기록하며 점봉산 깊은 산속을 돌아다녔다. 심지어 길도 없었다. 팀원이 말한 그 길은 멧돼지가 다니는 길이었다. 한계령풀 군락지를 찾아 2박 3일을 강행군을 해서 죽을 지경이었다. 해군

한계령풀.

멀리서 보면 노란 별이 반짝거린다.

출신인 나는 군대에서도 해 보지 않았던 산악 행군을 제대하고 나서 해야만 했다. 넘어지고 구르며 한참을 헤맸다.

하지만 한계령풀 군락지를 발견하면 귀한 보물을 발견한 것처럼 매우 기뻤다. 며칠 동안의 갈증이 풀린 것처럼 온몸이 반응했다. 조금씩 한계령풀 군락지에 가까워지면 땅에서 노란빛이 반짝반짝하는 것이 느껴졌다.

그 이후에 C 개발자와 함께 온 팀원들은 어떻게 되었을까?

연계 부분에서는 손을 떼고 나와 함께 화면단을 개발하게 되었는데 여기서도 엉망진창이었다. 납기를 지키지 않는 것은 예사였고, 가장 기본 중의 하나인 소스 명명 규칙도 지키지 않았고 코딩줄도 맞지 않았다. 경험 있는 개발자라고는 볼 수 없는 행동들이 너무 많았다. 결국 프로젝트 중반 넘어서는 거의 없는 사람들 취급을 받았다. 내 일이 많이 늘어난 덕분에 나는 야근수당은 많이 받았지만, PM과 나의 속을 너무 썩여 프로젝트가 끝나고 나서 그 흔한 회식도 하지 않았다.

K 선임은 어떻게 되었느냐고? 고수는 결국 이름을

알리게 되는 것 같다. 꽤 오랜 시간 회사에서 일 잘하기로 소문이 나더니 어느 정도 시간이 지나고 나서는 몸값을 많이 올려 이직했다. 회사에서는 안타깝지만, 개인적으로는 매우 축하해 줄 일이었다.

아마 지금도 다른 회사에서도 은둔의 고수 같은 역할을 충실히 하고 있을 것이다.

※ 더하는 글

한계령풀은 군락지가 꽤 발견되어 몇 년 전 환경부에서 지정한 보호종에서 해제가 되었다. 한계령풀에 대한 연구와 관심이 커져서 군락지가 많이 발견되어서인지 기후 변화에 의해서 그런 것인지 모르겠다. 한계령풀을 찾아서 온 산을 헤매던 기억을 가지고 있는 나에게 한계령풀 군락지가 발견되어 보호종에서 해제가 되었다는 사실이 매우 기쁠 따름이다.

한계령풀.
조사 중에 만나면 기분이 좋아졌다.

꿩의바람꽃

- 화려한 독초 -

"그러면 그게 맞는 모양이구만. 며칠 전에도 석이 따러 우풍재쪽으로 올라가다 독고사리 몇 개 그래 올라온 걸 봤는기. 그게 보이엔 꼭 고사리순처럼 얄상하고 여리여리해도 속은 여간하지 않은 독초야. 다른 나물에 섞여 잘못 입에 들어가면 채달(풀독)이 오르구"

"예 그러면 맞는 것 같은데요"

예전 꽃을 함께 본 일병도 그런 말을 했다. 보기엔 연약하고 이뻐 보여도 사실은 뿌리와 줄기 안에 강한 독성이 있다고. 그러면서 일명은 바람꽃이란 말도 어쩌면 원래 우리가 부르던 이름이 아니라 서양에서 들어온 이름을 그대로 풀어쓴 것인지 모르겠다고 했다.

.....

늘 살아온 은자당 주인이 독고사리는 알아도 그 독고사리의 이름이 바람꽃인지 모르는 것도 어쩌면 그래서였을지도 모른다.

은비령, 이순원

깊이 감춰진 땅 "은비령(隱秘嶺)"

이순원 작가의 1996년 작품이다.

군 복무 시절 도서관에서 우연히 발견해서 읽었다가 가장 좋아하는 작품이 되었다. 20년 전 기록했던 독서록에는 이렇게 쓰여 있다.

- 아무런 사전 지식 없이 정말 마음에 드는 작품을

만나기란 그리 쉽지 않다. 특히 나처럼 도서관에서 제목만 보고 책을 선택하는 사람에게는 더욱 그렇다. 오래간만에 정말 마음에 드는 작가, 마음에 드는 작품을 만났다. 특히 '은비령'이 가장 인상 깊었는데 나중에 작가가 말하는 곳에 (한계령에서 내려오다가 옆길로 빠지는 길) 가서 꼭 바람꽃을 보고 싶다. 꼭 사서 간직하고 싶은 책이다. 2002.7.26. -

이 작품을 만난 후 몇 번을 탐독했다. 은비령이란 신비스러운 공간이 주는 설렘과, 그 공간에서 이어질 듯 이어지지 못한 인연에 대한 안타까움, 그리고 바람꽃 이야기에 나는 매혹되었다.

바람꽃은 이야기의 중심이 되는 중요한 소재이다. 작가는 작품 안에서 여자 주인공을 '독고사리' 즉 바람꽃에 빗대어 말한다. 아름답지만 독을 간직하고 바람꽃처럼, 가까이 가고 싶지만 결국 그럴 수 없는 존재로 표현한다.

그런 이미지 때문이었을까?

어떻게 생겼는지조차 모르던 바람꽃을 나는 꽤 오래

꿩의바람꽃.

전부터 보고 싶어 했다. 은비령에 핀 바람꽃을 보는 내가 하고 싶은 일 중 하나가 되었다.

2005년 이른 봄, 교수님과 함께 조사 장소 선정을 위해 처음 점봉산에 방문했을 때 봄꽃들이 한창이었다.

꽃 이름을 하나하나 설명해 주시던 교수님께서 화려하게 피어 있는 꽃을 보시곤 꿩의바람꽃이라고 말씀해 주셨다.

"바람꽃? 독초인가요?"

"미나리아재비과는 대부분 독초가 많아. 먹으면 죽을 정도는 아니지만 배탈은 날 수 있지."

라고 무덤덤하게 대답하셨을 때

"아!!!! 네가 바람꽃이구나!!"

나는 언젠가 만나야 할 사람을 만난 것처럼 마음이 벅차올라 웃음이 나왔다. 아마 교수님은 점봉산에서는 흔한 바람꽃을 보고 기뻐하는 나를 보시곤 생태학 대학원에 꼭 데리고 와야 할 인재라고 생각하셨을지도 모른다.

'죄송합니다. 교수님. 그저 바람꽃이 보고 싶었습니다.'

나는 바람꽃을 처음 만났다. 바람이 살짝 부는 화창한 봄날이었는데 새하얗게 흔들리던 꿩의바람꽃이 아직 눈에 선하다.

점봉산의 봄은 홀아비바람꽃, 회리 바람꽃, 쌍둥이바람꽃 등 온갖 종류의 바람꽃들로 가득하다. 바람꽃은 미나리아재비과의 여러해살이 초본이며 미나리아재비과의 대부분 그렇듯이 독을 가지고 있다. 꽃잎은 화려하지만, 또 한편으로는 단아해 보이기도 한다. 꽃대를 보면 연약해 보이기도 한다. 꽃이 너무나 예쁘기에 선뜻 뿌리에 독을 감추고 있다는 생각을 하기 힘들다. 햇볕을 좋아하는데 볕이 없거나 기온이 낮으면 꽃잎을 닫아버리는 꽃이다. 그래서 이른 아침에 조사하거나 흐린 날이면 꽃잎이 열리지 않은 꿩의바람꽃을 자주 보곤 했다.

옆 파트의 S 선배는 화려한 외모와 호감이 가는 미소를 가지고 있었다. 설득력 있는 목소리와 친절한 말투는 금방 주변 사람들을 자기편으로 만들었다. S 선배가

두 송이가 함께 피어 있는 꿩의바람꽃.
점봉산에서 바람꽃은 매우 흔하게 볼 수 있다.

웃으며 이야기를 하면 어느 순간 고객들은 그녀의 이야기를 귀담아들었고 공격적이었던 고객도 금세 마음을 풀었다.

선배는 고객으로부터 칭찬을 많이 받는 사람이었다. 예쁘고 배려심이 많은 직원이었다. 나는 선배와 가까워지고 싶었지만 파트도 다르고 업무도 연관되어 있지 않기에 그럴 기회가 없었다.

한 번은 부서에서 크지 않은 프로젝트를 진행하게 되었다. 파트별로 담당자를 뽑아 진행하였는데 우리 파트에서는 내가, 다른 파트에서는 S 선배가 프로젝트 멤버로 참여하게 되었다. 난 평소에 가까워지고 싶었던 선배와 함께 일할 수 있고 친해질 수 있는 기회가 왔기에 꽤 설레었다.

프로젝트를 시작하던 시기, 멀리에서 보았던 것처럼 S 선배는 친절했고 나를 대하는 행동도 따뜻했다. 나는 열심히 하고 싶었고 선배에게 진심을 다해 호의적으로 대했다. 선배가 요청하는 업무는 웃으면서 어떻게든 완료하려고 노력했고 선배의 어려움은 발 벗고 해결해 주려 최선을 다했다.

현호색과 함께 피어 있는 꿩의바람꽃.

하지만 시간이 지나면서 조금 이상했다. 같이 업무를 하다 보면 어느 순간 나는 피해를 보고 있었다. 내가 손해를 보고 있다는 사실 자체도 인지하지 못한 채 덤터기를 쓰곤 했다.

한 번은 퇴근을 하면서 너무나 다정한 표정으로 본인의 남은 일을 부탁했다. S 선배는 친절한 웃음을 띠며 간단한 일이라고 이야기했기에 나는 걱정하지 말라며 넙죽 일을 받았다. 그날 나는 12시가 넘어서 퇴근했다. 간단한 일이 아니었다.

또 어쩌다 한 번씩 나오는 선배의 공격적이고 날카로운 말은 상처를 주었다. 분명 친절한 말투였는데 그 안에 송곳이 가득할 때가 있었다. 다른 사람을 낮추면 자기가 더 돋보인다는 생각이었는지, 꼭 다른 부서원들이 있는 곳에서 웃음 띠며 나를 공격하고 무안하게 만들었다. 흔한 말로 "피아 구별"을 못하고 다른 부서원들에게 나를 "쪽팔리게" 만들기도 했다. 내가 후배이기도 했고 선배가 웃음을 띠며 이야기하니 화를 낼 수도 없었다.

프로젝트가 끝날 시점쯤 나는 깨달았다. S 선배의 화

려한 겉모습 아래 독을 숨기고 있는 사람이구나. 가까워지고 편해지면 상대방이 상처를 받고 탈이 나는 사람이구나.

나는 많은 사람들이 그녀의 화려한 외모와 친절한 말투에 속고 있다고 생각했다.

프로젝트가 끝난 후 원래의 파트로 돌아간 선배는 여전히 사람들에게 친절하고 호의적으로 대하는 것처럼 보였다. 하지만 나는 그녀의 모습이 예전처럼 보이지 않았다. 마치 데이빗 핀처 감독의 '나를 찾아줘'(Gone Girl)의 첫 장면과 끝 장면에서 여자 주인공인 에이미를 보는 느낌이었다고 할까?

어찌 보면 그게 선배의 본모습이었을지 모른다. S 선배는 화려한 독초 같았다. 화려한 모습에 다가서지만, 독은 가까이 가는 사람을 상처 주었다.

적당히 거리를 유지해야 하는 사람이었다.

슬펐던 건 어느 정도 회사 생활을 하다 보니 생각보다 S 선배와 비슷한 사람이 많다는 사실이었다.

이제 S 선배는 아예 다른 부서로 가서 얼굴을 보기도 힘들기에 어떻게 지내는지는 잘 모른다.

하지만 여전히 그녀는 다른 사람들에게 친절하고 호의적일 것이다. S 선배에게 상처받는 사람이 더 이상 생기지 않기를 기도할 뿐이다.

※ 더하는 글

2006년 가을 점봉산에서 야생화 조사를 끝낸 후 팀원들과 동해 바다로 일출을 보러 갔다. 처음 꿩의 바람꽃을 만난 지 1년 반쯤 되던 시기였다.

이른 새벽에 출발한 우리는 양양으로 바로 나올 수 있는 조침령 쪽의 구불구불한 길이 아닌 현리로 돌아서 한계령을 넘는 길을 선택했다. 왜 그런 선택을 했는지는 기억이 나지 않는다. 낯선 길로 가고 싶다는 생각이었는지 여차하면 한계령에서 일출을 보기 위함이었을 수도 있다.

새벽길을 운전하다가 현리에서 한계령을 올라가던 길에 은비령이 쓰여 있는 표지판을 봤다. '은비령 산장' 이었던 것으로 기억한다. 그 표지판을 보고 그곳이 이순원 작가가 이야기한 은비령이란 사실을 알았다.

나는 은비령에 도착했다.

내가 조사를 하던 장소 지척에 은비령이 있다는 사실을 모르고 있었다. 점봉산과는 능선 하나 차이였다. 풀잎 가득 맺힌 새벽의 이슬과 신비스러운 산안개의 풍경은 내가 은비령에 머무르는 기쁨을 더욱 크게 해 주었다. 동해로 향하는 한참을 그 우연에 설렜고, 매우 흥분했던 적이 있었다.

비록 은비령에 핀 바람꽃을 보지는 못했지만, 나는 은비령에 머물렀었다.

꿩의바람꽃.
꽃대가 길고 꽃이 화려하지만
독을 가지고 있다.

엣지이펙트

- 기준을 넓히면 -

엣지이펙트 (Edge Effect) 우리말로는 가장자리효과라고 한다. 생태학 수업 시간에 배웠던 개념인데, 단어가 주는 강렬함 때문에 기억에 많이 남아 있는 용어이다.

동식물이 모여 사는 생태계에는 '가장자리 효과(edge effect)'라 불리는 현상이 있다. 서로 다른 생물군의 서식지가 나란히 붙어 있을 때 그 경계지역에 사는 종의 다양성과 밀도가 각 서식지 중심지역보다 훨씬 더 높게 나타나는 것을 말한다.

서식지의 서로 다른 요소가 혼합되는 이 경계지역이 다양한 식량자원과 환경을 제공해 주기 때문이다.

이로 인해 가장자리는 내부에 비해 높은 종 다양성과 밀도를 가지며, 일부 종에 있어서는 긍정적으로, 일부 종에 있어서는 부정적으로 작용한다.

가장자리효과는 환경이 바뀌는 구간, 즉 환경의 가장자리 경계면에서 종의 다양성이 높아지는 현상을 말한다.

가장자리효과를 가장 쉽게 관찰할 수 있는 곳 중 하나가 강의 하구 지역이다. 강의 하구에는 민물에서 서식하는 생물들과 바닷물에서 서식하는 생물들이 어울려 살고 있다. 서로 다른 환경이 만나는 경계 지역은 더 높은 종의 다양성이 보장된 환경이라고 볼 수 있다.

점봉산에서도 가장자리효과를 관찰할 수 있는 지역이 있었다.

2006년 점봉산에서 야생화를 조사할 때 우리 팀은 등산로 입구를 시작점으로 잡고 점봉산 곰배령 정상까지 100m를 기준으로 연구 구역을 나누었다. 이렇게 구역별로 야생화를 조사하다 보면 다른 지점에 비해서 유난히 종의 개수가 많은 구간이 나타나곤 했다.

등산로가 시작되는 숲길 입구 주변과 등산로가 끝나는 곰배령 정상 근처, 그리고 입구에서 1,600m 정도 되는 민가가 위치한 지역이었다.

이 구역들의 공통점은 숲길과 들길이 서로 바뀌면서 하늘이 열렸다가 닫히기도 하는, 서식 환경이 교차하는 지점이라는 것이다. 바로 서식 환경의 가장자리(엣지) 지역이다.

가장자리효과를 관찰할 수 있는 첫 번째 구간은 등산로 입구부터 약 500미터까지로 숲길이 시작되는 구간이다.

이 구간은 주차장에서 들길을 거쳐 숲길이 나오는 여러 서식 환경이 존재하는 구간이다. 본격적으로 숲길이 시작되면서 열려 있던 하늘은 닫히고 나무 그늘로 가려

연령초.

숲길 주변 살짝 그늘진 곳에서 만날 수 있었다.

진 길이 시작된다. 개나리, 민들레, 제비꽃 같이 길가에서 쉽게 볼 수 있는 꽃뿐만 아니라 벌깨덩굴, 노루오줌, 연령초처럼 숲에서 사는 야생화들을 만날 수 있었다.

곰배령 정상 근처에서도 가장자리효과를 관찰할 수 있었다.

곰배령 정상에 가까워질수록 나무들의 키가 작아지면서 닫혀 있던 하늘이 활짝 열리기 시작한다.

숲길이 끝나고 넓은 고원으로 환경이 바뀌는 구간으로 관찰되는 야생화 종류의 개수도 많아졌다.

다른 곳과 다른 점은 고도가 높고 바람이 많이 불어서 바람에 강한 꽃들이 많이 보인다는 점이었다.

골풀이나 선이질풀 등 다른 구간에서는 보기 힘든 꽃들이 관찰되곤 했다.

가장 확실하게 가장자리효과를 관찰할 수 있는 구간은 등산로 입구 기준 1,600m부터 2,000m 정도까지 약 400m 정도 되는 구간이다. 몇백 미터에 걸쳐 숲길과 민가가 번갈아 나오는데, 다른 어떤 조사 구간보다 많은 종류의 야생화를 만날 수 있었다.

선이질풀.

여름철 점봉산 곰배령 정상 부근에서 많이 보인다.

이 구간에서는 소루쟁이와 질경이, 애기똥풀, 톱풀 등 민가 주변에서 볼 수 있는 꽃부터 산괴불주머니, 현호색처럼 숲에서 볼 수 있는 꽃들이 어울려 서식하고 있었다.

나는 이 구간에서 관찰되는 가장자리효과가 가장 인상 깊었다.

세 군데 모두 각각의 특성에 맞게 많은 야생화들이 서식하고 있었는데, 이 구간에서 나타나는 가장자리효과의 환경적인 요인이 가장 극적이고 재미있었기 때문이다.

1,600m 지점은 등산로 입구에서부터 시작된 숲길 환경이 서서히 들길 환경과 교차하며 민가가 존재하는 구간이다. 사람의 거주 환경과 숲의 환경이 공존하는 것이다. 그래서 민가 주변에서 흔하게 볼 수 있는 꽃(심지어 이 산속에서 냉이꽃을 만날 수 있었다)과 숲속에서 볼 수 있는 한계령풀 같은 야생화를 불과 몇 미터 거리에서 발견하는 독특한 경험을 할 수 있었다.

또 신기했던 건 이 구간의 야생화들은 서식지의 경계

산괴불주머니.

점봉산 숲길에서 쉽게 볼 수 있다.

현호색.

점봉산의 봄 숲길에 가득한 꽃이다.

면을 조금씩 침범하며 서로 공유하고 있다는 것이었다. 햇빛을 좋아하는 야생화가 숲길 가장자리 그늘에서 서식하고 있었고, 그늘은 좋아하는 야생화가 햇빛이 가득한 길가에 피어 있기도 했다.

꽃들은 자신의 기준을 조금 넓히며 환경의 경계면에서 서식하고 있었다.

가끔 사무실에서 자신의 영역과 기준이 확고한 사람을 만나곤 한다.

M 책임이 그런 스타일이었다. 그는 한 업무를 십여 년 가까이하고 있는 베테랑이었다. 업무 프로세스는 달달 외울 정도로 습득하고 있었고, 일에 관한 이론과 히스토리도 거의 대부분 알고 있었다.

그의 업무 처리는 노련하고 신속했으며 웬만한 돌발 상황도 어려움 없이 대처하였기에 일을 잘하는 직원으로 알려져 있었다.

그래서였을까?

M 책임은 다른 사람의 의견은 귀담아듣질 않는 경향이 강했다. 다른 사람의 의견은 쉽게 무시했고 결국 자

신이 원하는 방식으로 거의 모든 걸 처리하곤 했다.

자신이 생각하는 범위를 벗어나면 무조건 틀렸다고 여겼다. 의사결정을 위해서 회의를 하더라도 결국 그의 의견을 따라갈 수밖에 없었다.

M 책임의 업무 스타일이 고객이나 상사들에게는 크게 이슈가 되지 않았다. 문제는 그와 함께 일한 사람들이 많이 힘들어했다는 것이다. 특히 후배들이 많이 힘들어했다. M 책임은 함께 일하는 후배의 의견을 존중하지 않고 윽박지르기 일쑤였다. 이 정도는 당연히 알아야 하는 거 아니냐며 후배의 자존심을 많이 상하게 만들기도 했다.

M 책임의 입장에서 후배의 의견이 옳은지 그른지는 중요하지 않았다. 그저 자신의 기준에 맞는지 아닌지가 중요했다. 그와 일하던 많은 후배가 상처받으며 떠나곤 했다.

그런 그의 성향으로 인해 같이 일하려는 하는 사람들도 점점 줄었다. 프로젝트 리더가 M 책임이면 프로젝트에 참여하지 않겠다고 말하는 외주 개발자들도 있었다.

개발자들의 자율성은 보장하지 않은 채 오직 자신의

개감수.

점봉산에서 어렵지 않게 볼 수 있는 꽃이다.

꽃 모양이 특이하다.

기준대로 강하게 푸시했으니 당연한 결과였을 것이다.

결국 M 책임은 많은 일을 혼자서 해야 하는 상황을 자주 겪곤 했다.

나는 그 모습을 보면서 M 책임이 조금씩만 자신의 기준을 넓혔으면 어떠했을까 싶다.

다양한 업무 케이스를 만나 경험이 쌓이면 보통 허용하는 범위가 넓어지고 관용이 생기기 마련인데 오히려 고집만 더욱 강해져 가는 모습이 매우 안타까웠다.

M 책임의 경계가 좀 더 넓었으면 어떠했을까?

다른 사람의 의견과 방식을 어느 정도 수용하며 자신의 영역에 받아들였으면 어떠했을까? 아마 전문가로 인정받으면서 좀 더 다양한 방식으로 많은 사람들과 협업하며 업무를 수행해 나갔을 것이다. 좀 더 쉽고 효율적인 방식을 발전시키고, 주변 사람들과도 좋은 관계로 지낼 수 있었을 것이다.

좁은 범위의 기준은 결국 자신의 땅을 좁게 만든다.

좁아진 땅은 외부 환경이 바뀌면 순식간에 서식할 수 없는 땅이 되어버리기도 한다.

경계에 걸쳐있다는 것, 기준이 넓다는 것은 받아들일 수 있는 환경이 다양하다는 것을 뜻한다. 받아들일 수 있는 환경이 다양하다는 것은 더 큰 변화를 견디고 헤쳐 나갈 수 있는 힘이 있음을 의미한다.

가장자리에서 살아가고 있는 다양한 야생화들처럼 말이다.

천남성.
음지를 좋아하는 천남성도
등산로 가장자리에서
어렵지 않게 볼 수 있었다.

큰앵초

- 자리를 지키는 힘 -

큰앵초는 목이 길다.

긴 꽃대가 잎 사이에서 불쑥 튀어나와 있고 그 위에 밝은 분홍색 꽃을 피운다. 다른 봄꽃들에 비해 키가 큰 편이다. 숨지 않고 당당해서 눈에 잘 띈다. 목을 쭉 내밀고 "내가 여기 있습니다. 나 좀 봐주세요." 하는 모양새다.

얼레지와 현호색이 한바탕 꽃바람을 일으키고 지나간 5월 초부터 꽤 오랜 기간 꽃 피는 다년생 초본이다.

긴 꽃대 위에 피어 있는 큰앵초꽃.

나는 시골 마을 회관 지붕 위에 확성기를 생각했다.

점봉산에서 큰앵초를 처음 만났을 때 나는 어릴 적 동네 소방서 옥상에 설치되어 있던 확성기가 떠올랐다. 기다란 꽃대 위에 확성기처럼 생긴 꽃에서 "앵앵앵앵" 하는 사이렌 소리가 들릴 것 같았다.

야생화 조사를 할 때 꽃 이름을 외우는 것이 큰 숙제 중의 하나인데 "앵앵거릴 것 같은 키 큰 꽃, 큰앵초." 쉽게 외울 수 있었다.

큰앵초를 조사할 때 가장 인상 깊었던 특징은 자리를 지키는 꽃이라는 점이었다. 점봉산 입구에서 정상까지 3분의 1 정도 되는 지점에 큰앵초가 눈에 잘 뜨이는 구간이 있다. 등산로에서 5m 정도 떨어진 계곡 쪽, 약간 파인 지형의 바위 옆이다.

보통 꽃들은 비슷한 위치에 군락을 이루며 개체는 조금이라도 위치가 변하는 경우가 대부분인데 큰앵초는 정확하게 한자리에서 계속 관찰되었다.

매년 같은 자리에 꽃을 피웠다. 여러해살이 꽃이기 때문에 당연하겠지만 한해살이 꽃을 많이 관찰했던 나의 눈에는 한자리를 계속 지키며 꽃을 피워내는 것이

긴 꽃대 위에 분홍색 꽃.

참 신기하게 보였다.

몇 년 전 봄, 거의 10년 만에 가족들과 점봉산을 방문한 적이 있었다.

아들딸과 함께 탐방로를 천천히 천천히 걸었다. 아이들에게 이건 무슨 꽃이고 저건 무슨 꽃이며 아빠가 옛날에 조사했을 때는 어쩌고 저쩌고 하면서 실컷 아는 척을 했다. 이제 고작 "엄마 까까~, 아빠 뽀로로~" 정도밖에 못 하는 아이들이었기에 당연히 내가 무슨 말을 하는지 이해하지 못했다. 꽃을 꺾지나 않으면 다행이었지만 상관없었다.

나는 오랜만에 만나는 점봉산의 꽃들에 신이 나서 신나게 떠들었다. 그리고 정상까지 삼분의 일 지점 정도 되는 그곳, 거의 10년 만에 찾아간 그 자리에서 나는 큰앵초를 만났다. 정확히 계곡 방향 약간 파인 지형의 바위 옆이었다.

졸업과 취업, 결혼과 육아, 그리고 어마어마한 체중 증가, 많이 변한 나와는 다르게 10년의 시간 동안 큰앵초는 그 자리를 지키고 있었다. 조사 당시에 봤던 꽃인지,

점봉산의 큰앵초.
바위 옆 그 자리를 꿋꿋이 지키고 있었다.

그 꽃의 후손인지는 모르겠다. 그저 그 자리를 지키고 있는 것이 너무나 반가워 한참을 바라보았다.

나의 첫 근무지는 본사가 아니었다. 지방에 있는 부서로 발령을 받았다. 입사 후 몇 년 동안 자신감이 가득했었다. 비전공자였던 내가 우리나라 최고 IT 대기업 중 한 곳에 입사했으니 세상이 참 만만했었다.

그런 자신감이 지나쳐서 나는 조만간 지방 사업장을 떠나 본사로 전배를 가거나, 외국계 IT 회사로 떠나는 것이 당연한 인재라고 생각했었다. 실제로 주변에 본사로 발령을 받아 이동하는 선배들도 있었고, 퇴사 후 외국계 IT 회사로 이직을 하는 동기들을 봤기에 더욱 그렇게 생각했다.

하지만 몇 년이 지나도 나에게 기회는 오지 않았다.

오히려 어떻게 하면 이 지긋지긋한 지방 사업장을 벗어날 수 있냐고 엉엉 울며 방법을 물어봤던 후배가 나보다 먼저 본사로 갔을 때는 충격까지 받았다.

남의 떡이 커 보였던 것일까? 우리 부서를 떠난 그들이 성공한 것이라는 생각이 들었다. 그들의 소식이 들려오면 부러움에 마음 한구석이 쓰라렸다. 노력도 하지 않았으면서 다른 곳으로 가지 못하고 있는 내가 작아 보였다.

몇 년 전 IT 인력들의 이직이 한참이었다. 많은 선후배 동기들이 다른 IT 회사로 이동했다. 구글이나 MS 같은 외국계 대기업에 가기도 하고, 한참 대세라고 했던 하는 '네카라쿠배'로 불리는 회사로 이직하기도 했다.

누구는 어느 회사로 이직을 해서 연봉이 150%가 늘었다고 하고, 선배 누구는 어디에서 승진해서 팀장이 되었다고 했다.

지금도 가끔 그들의 소식이 들려오면 여전히 부러운 건 사실이다. 어느 정도 마음을 잡았다고 생각을 하지만 여전히 내가 작아 보이고 뒤처지는 마음이 드는 건 사실이다.

나는 발전하지 못하고 있는가?

나는 이 자리에서 무엇을 하는 것일까?

늦었지만 지금이라도 여기를 빠져나가야 하는 준비를

해야 하나? 하는 걱정과 의문이 문득 들곤 한다.

나는 아직 처음 발령받은 조직에서만 15년 넘게 일하고 있다. 15년 동안 부서가 이사를 와서 근무지가 지방에서 수도권으로 바뀌었고 부서명이 바뀌었다. 조직 안에서 내 일만 바뀌었을 뿐 나는 이 부서에서 계속 자리를 지키고 있다.

함께 일을 했던 동료들은 대부분 떠났고 새로운 사람들이 그 자리를 채웠다.

우리 부서에서 나는 '원주민'으로 불린다. 입사 때부터 여기에서 일한 사람이다.

'원주민'인 나를 뒤돌아보면 입사 때부터 지금까지 매년 많은 일을 헤쳐 나가며 여기까지 왔다. 어느 해는 일이 너무 힘들어 하루에도 수십 번씩 때려치운다고 생각했었고, 새로운 업무에 대한 스트레스로 입술이 터지기도 했었다.

힘든 상사를 만나 마음고생을 심하게 한 적도 있었다.

하지만 어려운 프로젝트를 성공적으로 완료해서 좋은

고과와 보상을 받기도 했고, 해외 출장을 가서 새로운 동료들을 사귀고 소중한 경험들도 쌓을 수 있었다.

그룹사 지도 선배로 발탁되어 후배들을 지도하기도 했었다.

나는 뒤처지지 않았다. 나는 15년 동안 내 자리에서 최선을 다했다.

점봉산의 큰앵초를 생각한다.

어느 봄은 눈이 늦게 녹았을 것이고, 어느 봄은 비가 많이 내렸을 것이다. 어느 봄은 흐린 날이 많이 햇빛이 충분치 않았을 것이고, 바람이 많이 불어 꽃대가 꺾였을지도 모른다.

하지만 한 해 한 해 큰앵초는 꽃을 피우기 위해서 최선을 다했을 것이다. 그래서 여전히 그 자리를 꿋꿋하게 지키고 있다.

지금 내 자리에서 15년이 넘는 시간을 한해 한해 지키고 있는 나도, 하루하루 최선을 다하며 살아가고 있는 내 주변의 '원주민' 들도 충분히 칭찬받을 만하다.

큰앵초와 같이
한자리를 오랫동안 지키는
'원주민' 에게 응원을 보낸다.

닫는 글

나는 매년 꽃몸살을 앓는다.

봄볕이 따뜻해지고 집 주변의 벚꽃이 피기 시작하면 점봉산의 숲이 그리워진다.

올해는 언제쯤 가면 숲속에 만개한 꽃을 만날 수 있을지 가늠하며 하루에 몇 번씩 지도 앱을 켜고, 점봉산에서 가장 가까운 CCTV를 확인한다. 실시간으로 올라온 블로그를 찾아보며 그리움을 달래보기도 한다.

머릿속에 각인 되어 있는 점봉산 꽃의 기억은 매년 봄 영락없이 나를 열병에 걸리게 한다.

점봉산 숲 사이로 스며들던 햇살이 생각난다.

조용한 숲속의 바람 소리가 생각난다.

가득했던 꽃들이 생각난다.

나의 봄은 그리움으로 분주하다.

나는 매년 꽃몸살을 앓는다.

2024년 3월